ABBA: COMPLETE CHO

MW00378018

Exclusive distributors:
Music Sales Limited, 14/15 Berners Street, London W1T 3LJ, England.
Music Sales Pty, Limited, 20 Resolution Drive, Caringbah, NSW 2229, Australia.

Order No.AM970431
ISBN 0-7119-8851-X
This book © Copyright 2001 by Wise Publications.
www.musicsales.com

New music arranged and processed by Rob Smith.
Cover design by Phil Gambrill.
Photographs courtesy of London Features International.

Printed in the United Kingdom by Caligraving Limited, Thetford, Norfolk.

Wise Publications
London / New York / Paris / Sydney / Copenhagen / Madrid / Tokyo

Relative Tuning

The guitar can be tuned with the aid of pitch pipes or dedicated electronic guitar tuners which are available through your local music dealer. If you do not have a tuning device, you can use relative tuning. Estimate the pitch of the 6th string as near as possible to E or at least a comfortable pitch (not too high, as you might break other strings in tuning up). Then, while checking the various positions on the diagram, place a finger from your left hand on the:

5th fret of the E or 6th string and **tune the open A** (or 5th string) to the note (A)

5th fret of the A or 5th string and **tune the open D** (or 4th string) to the note (D)

5th fret of the D or 4th string and **tune the open G** (or 3rd string) to the note (G)

4th fret of the G or 3rd string and **tune the open B** (or 2nd string) to the note (B)

5th fret of the B or 2nd string and **tune the open E** (or 1st string) to the note (E)

E	A	D	G	B	E	
or	or	or	or	or	or	**Head**
6th	5th	4th	3rd	2nd	1st	

Nut

1st Fret

2nd Fret

3rd Fret

4th Fret

5th Fret

Reading Chord Boxes

Chord boxes are diagrams of the guitar neck viewed head upwards, face on as illustrated. The top horizontal line is the nut, unless a higher fret number is indicated, the others are the frets.

The vertical lines are the strings, starting from E (or 6th) on the left to E (or 1st) on the right.

The black dots indicate where to place your fingers.

Strings marked with an O are played open, not fretted. Strings marked with an X should not be played.

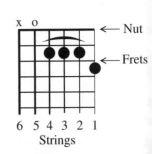

6 5 4 3 2 1
Strings

The curved bracket indicates a 'barre' – hold down the strings under the bracket with your first finger, using your other fingers to fret the remaining notes.

2

Andante, Andante

Words & Music by
Benny Andersson & Björn Ulvaeus

Intro

| F   C/E | B♭/D   F/C | B♭/D   F/C | C | |

| F   C/E | B♭/D   F/C | B♭   C | F   C7 |

Verse 1

      F   C   F
Take it easy with me, please,
C   F   C   F
  Touch me gently, like a summer evening breeze.
        B♭   F
Take your time, make it slow.
        B♭   C   F   C7
Andante, Andante, just let the feeling grow.

Verse 2

      F   C   F
Make your fingers, soft and light,
C   F   C   F
  Let your body be the velvet of the night.
        B♭   F
Touch my soul, you know how.
        B♭   C   F
Andante, Andante, go slowly with me now.

Chorus 1

F   B♭   F
I'm your music, (I am your music and I am your song.)
   B♭
I'm your song. (I'm your music and I am your song.)
     E♭   F
Play me time and time again
F7   B♭
And make me strong. (Play me again 'cause you're making me strong.)

cont.   E♭
Make me sing,
         B♭
Make me sound. (You make me sing and you make me.)
           E♭
Andante, Andante,
       F   B♭
Tread lightly on my ground.
           E♭
Andante, Andante,
       F   B♭
Oh, please don't let me down.

Instrumental ‖ (B♭) F/A ∣ E♭/G B♭/F∣ E♭ F ∣ B♭ (C7)‖

Verse 3   C7   F   C   F
There's a shimmer, in your eyes,
          C   F   C   F
  Like the feeling of a thousand butterflies.
            B♭   F
Please don't talk, go on   play
            B♭   C   F
Andante, Andante, and let me float away.

Chorus 2   F   B♭   F
I'm your music, (I am your music and I am your song.)
     B♭
I'm your song. (I'm your music and I am your song.)
          E♭   F
Play me time and time again
  F7   B♭
And make me strong. (Play me again 'cause you're making me strong.)
          E♭
Make me sing,
         B♭
Make me sound. (You make me sing and you make me.)
           E♭
Andante, Andante,
       F   B♭
Tread lightly on my ground.
           E♭
Andante, Andante,
       F   E♭ F B♭
Oh, please don't let me down.__

Instrumental | E♭ | F | B♭ C | F   (B♭)‖

Chorus 3

B♭   **E♭**
Make me sing,

            B♭
Make me sound. (You make me sing and you make me.)

                E♭
Andante, Andante,

        F   **B♭**
Tread lightly on my ground.

                E♭
Andante, Andante,

        F   **B♭**
Oh, please don't let me down.

                E♭
Andante, Andante,

        Fsus⁴ F   **B♭ F/A E♭/G B♭/F E♭ B♭/D F**
Oh, please don't let me down._____

Instrumental | B♭ F/A | E♭/G B♭/F | E♭   F | B♭   ‖

Another Town, Another Train

Words & Music by
Benny Andersson & Björn Ulvaeus

Tune guitar slightly sharp

Intro | C | G/C | C | G/C ‖

Verse 1

C   G
Day is dawning and I_ must go,

C   G   E   Am   F
You're asleep but still I'm sure you'll know

          C   Dm G
Why it had to end this way.

C   G
You and I had a groovy time

C   G   E   Am   F
But I told you somewhere down the line

           C   Dm
You would have to find me gone,

     A7   Dm G
I just have to move along.

Chorus 1

         C   F
Just another town, another train,

               C
Waiting in the morning rain,

F   C
Look in my restless soul, a little patience.

               F
Just another town, another train,

               C
Nothing lost and nothing gained.

F   C
Guess I will spend my life in railway stations.

G   C
Guess I will spend my life in railway stations.

Link | G/C | C | G/C   ‖

         C   G

Verse 2   When you wake I know you'll cry

         C   G   E   Am   F

         And the words I wrote to say goodbye,

                   C   Dm G

         They won't comfort you at all.

         C   G

         But in time you will understand

         C   G   E   Am   F

         That the dreams we dreamed were made of sand.

            C   Dm

         For a no-good bum like me

           A7   Dm G

         To live is to be free.

            C   F

Chorus 2   Just another town, another train,

                 C

         Waiting in the morning rain,

         F   C

         Look in my restless soul, a little patience.

                    F

         Just another town, another train,

                 C

         Nothing lost and nothing gained.

         F   C

         Guess I will spend my life in railway stations.

         G   C   G/C

         Guess I will spend my life in railway stations.

Chorus 3   As Chorus 1   *To fade*

Angeleyes

Words & Music by
Benny Andersson & Björn Ulvaeus

Intro

      N.C. **C♯m** **B**
Ah,   Ah.

          C♯m **B**
Ah,   Ah.

          F♯
Ah,   I keep thinking 'bout his angel eyes,

I keep thinking, ah.

Verse 1

  B   **G♯m**   **E**
Last night I was takin' a walk along the river
    F♯   **B**
And I saw him together with a young girl.
      G♯m   **E**
And the look that he gave her made me shiver
         F♯   **B**   **F♯/A♯**
'Cause he always used to look at me that way.
       G♯m   **F♯**   **B**   **F♯/A♯**
And I thought maybe I_ should walk right up to her and say,
    G♯m   **C♯**   **F♯**
"Ah, it's a game he likes to play."

Chorus 1
                  B
Look into his angel eyes,
                        F♯/A♯
One look and you're hypnotized,
                   B   **E**
He'll take your heart and you must pay the price.
F♯   **B**
  Look into his angel eyes,
                 F♯/A♯
You'll think you're in paradise,
               B   **E**   **B**
And one day you'll find out he wears a disguise.
F♯   **B**   **E**
Don't look too deep into those angel eyes,
F♯   **B**
Oh, no, no, no, no.

Middle
       N.C **C♯m** **B**
Ah,   Ah.
           C♯m **B**
Ah,   Ah.
          F♯
Ah,   I keep thinking 'bout his angel eyes,

I keep thinking, ah.

Verse 2
B   **G♯m**   **E**
Sometimes when I'm lonely I sit and think about him,
         F♯   **B**
And it hurts to remember all the good times
         G♯m   **E**
When I thought I could never live without him.
        F♯   **B**   **F♯/A♯**   **G♯m**
And I wonder does it have to be the same every time?
        F♯   **B**   **F♯/A♯**
When I see him will it bring back all the pain?
 G♯m   **C♯**   **F♯**
Ah, how can I_ forget that name?

Chorus 2

         B
Look into his angel eyes,

            F♯/A♯
One look and you're hypnotized,

         B   **E**
He'll take your heart and you must pay the price.

F♯   **B**
  Look into his angel eyes,

           F♯/A♯
You'll think you're in paradise,

        B   **E**   **B**
And one day you'll find out he wears a disguise.

F♯   **B**   **E**
Don't look too deep into those angel eyes,

F♯   **B**
Crazy 'bout his angel eyes.

F♯/A♯
Angel eyes,

        B   **E**
He took my heart and now I pay the price.

F♯   **B**
  Look into his angel eyes,

           F♯/A♯
You'll think you're in paradise,

        B   **E**   **B**
And one day you'll find out he wears a disguise.

F♯   **B**   **E**
Don't look too deep into those angel eyes,

F♯   **B**
Oh, no, no, no, no.

Outro

N.C **C♯m** **B**
Ah,   Ah.

     C♯m **B**
Ah,   Ah.

     C♯m
𝄆 Ah, I keep thinking,

   B
Ah, I keep thinking about his angel eyes. 𝄇   *Repeat to fade*

As Good As New

Words & Music by
Benny Andersson & Björn Ulvaeus

Intro

```
  B  B⁷ ‖ E      │ B      │ E           │

│ B      │ E      │ A      │ F♯m B │ E        ‖

‖: F♯m⁷  │ F♯m⁷  │ F♯m⁷  │ F♯m⁷  :‖
```

Verse 1

F♯m⁷
I'll never know why I had to go,
                E
Why I had to put up such a lousy, rotten show.
   F♯m⁷
Boy, I was tough,

Packing all my stuff,
             E
Sayin' I don't need you anymore, I've had enough.
  A   B/A   E/G♯   C♯m
And now look at me standin' here again
B   A B
'Cause I found out that
G♯m   Gsus⁴
Ma-ma ma-ma ma-ma ma-ma ma-ma ma-ma ma-ma ma,
F♯m⁷
My life is here,
              B
Gotta have you near.

Chorus 1

      E
As good as new,

      B
My love for you

       E   B
And keepin' it that way is my intention.

      E
As good as new,

       A
And growin' too,

       F♯m   B   E
Yes, I think it's takin' on a new dimension.

B   E
It's as good as new,

      B
My love for you,

       E   B
Just like it used to be and even better.

       E
As good as new,

       A
Thank God, it's true,

       F♯m   B   E   G♯m7 Gm7
Darling we were always meant to stay together.

Link | F♯m7 | F♯m7 | F♯m7 | F♯m7 ||

Verse 2

      F♯m7
Feel like a creep,

Never felt so cheap,

                             E
Never had a notion that my love could be so deep.

      F♯m7
How could I make such a dumb mistake?

                          E
Now I know I'm not entitled to another break.

      A   B/A   E/G♯   C♯m
But please, baby I beg you to forgive,

B   A B
'Cause I found out that

G♯m   Gsus4
Ma-ma ma-ma ma-ma ma-ma ma-ma ma-ma ma-ma ma,

F♯m7
My life is here,

                     B
Gotta have you near.

Chorus 2

     E   **B**
As good as new, my love for you

       E   **B**
And keepin' it that way is my intention.

     E   **A**
As good as new, and growin' too,

      F♯m   **B**   **E**
Yes, I think it's takin' on a new dimension.

B   **E**   **B**
It's as good as new, my love for you,

     E   **B**
Just like it used to be and even better.

     E   **A**
As good as new, thank God, it's true,

     F♯m   **B**   **E**
Darling we were always meant to stay together.

Middle

| **A B/A** | **E/G♯ C♯m B** | **A   B** | **E** |

C♯m F♯   **B**   **G♯m**
I   thought that our love was at an end

    C♯m   **F♯sus4 F♯** **B7sus4 B7**
But here I am   a - gain.

Chorus 3

     E   **B**
As good as new, my love for you

       E   **B**
And keepin' it that way is my intention.

     E   **A**
As good as new, and growin' too,

      F♯m   **B**   **E**
Yes, I think it's takin' on a new dimension.

C   **F**   **C**
It's as good as new, my love for you,

     F   **C**
Just like it used to be and even better.

     F   **B♭**
As good as new, thank God, it's true,

      Gm   **C**   **F**
Darling we were always meant to stay together.

      B♭
Yes, the love I have for you

  G7/B
Feels as good as new,

     C   **F**
Darling we were always meant to stay together.

Bang-A-Boomerang

Words & Music by
Benny Andersson, Björn Ulvaeus & Stig Anderson

Capo first fret

Intro　　‖: E ｜ E ｜ A ｜ B :‖

Verse 1

          A   **E**
Making somebody happy is a question of give and take,

          A   **E**
You can learn how to show it, so come on, give yourself a break.

C#m   **G#/C**
  Every smile and every little touch,

C#m/E   **C#m**
  Don't you know that they mean so much?

F#m
Sweet, sweet kisses so tender,

                             Bsus4   **B**
Always will return to sen - der.

Chorus 1

           E   **B7**
Like a bang-a-boome-boomerang,

F#m   **B**
Dum-be-dum-dum be-dum-be-dum-dum.

         E   **B7**
Oh bang-a-boome-boomerang,

F#m   **B**
Love is a tune you hum-de-hum-hum.

         E   **E/D**
By giving away, I think you'll learn,

A/C#   **F#7**
You'll get love in return.

         E   **B7**   **A**
So bang-a-boome-boomerang is love,

  B7   **E**
A boome-boomerang is love.

Link

```
| (E)   | E     | A     | B     |
| E     | E     | A     | B     ||
```

Verse 2

          A   **E**
Love is always around and you can look for it anywhere,

                 A
When you feel that you've found it

                          E
My advice is to take good care.

C♯m   **G♯/C**
  Never use it as a selfish tool,

C♯m/E   **C♯m**
  Never ever be such a fool.

F♯m
Every feeling you're showing

                    Bsus4 **B**
Is a boomerang you're throw - ing.

Chorus 2

        E   **B7**
Yes, a bang-a-boome-boomerang,

F♯m   **B**
Dum-be-dum-dum be-dum-be-dum-dum.

        E   **B7**
Oh bang-a-boome-boomerang,

F♯m   **B**
Love is a tune you hum-de-hum-hum.

        E   **E/D**
By giving away, I think you'll learn,

A/C♯   **F♯7**
You'll get love in return.

        E   **B7**   **A**
So bang-a-boome-boomerang is love.

Middle

                 E   **A**
And if you're warm and tender,

E   **B**   **C♯**
I'll kiss you, return to sender, please surrender.

Chorus 3

F♯   **C♯7**
Bang, a-boome-boomerang,

G♯m   **C♯**
Dum-be-dum-dum be-dum-be-dum-dum.

      F♯   **C♯7**
Oh, bang-a-boome-boomerang,

   G♯m **C♯**   **F♯** | **F♯** |**F♯** ||
It's love, a-boome-boomerang, it's love.

Cassandra

Words & Music by
Benny Andersson & Björn Ulvaeus

Intro | C | C | C | C ||

Verse 1
    C   F   C
Down in the street they're all singing and shouting,
      G/B   Am G
Staying alive though the city is dead.
G/F   C/E   G7   C
Hiding their shame behind hollow laughter,
    C/E   F   D7/F♯   G
While you are crying alone on your bed.
C   F   C
Pity, Cassandra, that no one believed you,
      G/B   Am   G
But then again you were lost from the start.
G/F   C/E   F/A   C/G
Now we must suffer and sell our secrets,
F6   G   Am   Dm7 G   C
Bargain, playing smart, aching in our hearts.

Chorus 1
                           G7
Sorry Cassandra, I misunderstood,
                   C
Now the last day is dawning.
                         G7
Some of us wanted but none of us would,
                   C
Listen to words of warning.

cont.

                            E
But on the darkest of nights

          Am/E   **E**
Nobody knew how to fight,

                       Am
And we were caught in our sleep.

             G7
Sorry Cassandra, I didn't believe,

            C
You really had the power.

             G7
I only saw it as dreams you would weave

           C
Until the final hour.

Verse 2

C   **F**   **C**
So in the morning your ship will be sailing,

         G/B   **Am**   **G**
Now that your father and sister are gone.

G/F   **C/E**   **G7**   **C**
There is no reason for you to linger,

       C/E   **F**   **D7/F♯**   **G**
You're grieving deeply but still moving on.

C   **F**   **C**
You know the future is casting a shadow,

         G/B   **Am**   **G**
No one else sees it but you know your fate.

G/F   **C/E**   **F/A**   **C/G**
Packing your bags, being slow and thorough,

F6   **G**   **Am**   **Dm7** **G**   **C**
Knowing, though you're late, that ship is sure to wait.

Chorus 2   As Chorus 1

Verse 3

C   **F**   **C**
I watched her ship leaving harbour at sunrise,

         G/B   **Am**   **G**
Sails almost slack in the cool morning rain.

G/F   **C/E**   **F/A C/G**
She stood on deck, just a tiny figure.

F6 **G**   **Am**   **Dm7**   **G**   **C**
Rigid and restrained, blue eyes filled with pain.

Chorus 3   As Chorus 1

Outro   ‖: **G7** | **G7** | **G7** | **G7** | **C** | **C** | **C** | **C** :‖

17

Chiquitita

Words & Music by
Benny Andersson & Björn Ulvaeus

A   E   D   D/A   E7   C#m   Esus4

Intro | A | E | D E | D | A D/A ||

Verse 1

    A   D/A   A   D/A
Chiquitita, tell me what's wrong,

A   E
You're enchained by your own sorrow,

D   E   E7   A   D/A
In __ your eyes there is no hope for tomorrow.

A   D/A   A   D/A
How I hate to see you like this,

A   C#m
There is no way you can deny it,

E D   E   E7   A   D/A A
I __ can see that you're oh so sad, so quiet.

Verse 2

    A   D/A   A   D/A
Chiquitita, tell me the truth,

A   E Esus4 E
I'm a shoulder you can cry on,

D   E   E7   A   D/A
Your __ best friend, I'm the one you must rely on.

A   D/A   A   D/A
You were always sure of yourself,

A   C#m
Now I see you've broken a feather,

E D   E   E7   A   D/A A
I ___ hope we can patch it up together.

Chorus 1

    A   D
Chiquitita, you and I know

                                     A
How the heartaches come and they go and the scars they're leavin'.

                        E   D   E
You'll be dancin' once again and the pain will end,

          E7   A
You will have no time for grievin'.

cont.

                    D
Chiquitita, you and I cry
                                  E A
But the sun is still in the sky and shinin' above you,
                             E   D   E
Let me hear you sing once more like you did before,
       E7   A
Sing a new song, Chiquitita.
           E   D   E
Try once more like you did before,
       E7   A   D/A
Sing a new song, Chiquitita.

Verse 3

  A   D/A   A   D/A
    So the walls came tumblin' down,
  A   E Esus4 E
    And your love's a blown out candle,
    D   E   E7   A   D/A
All __ is gone and it seems too hard to handle.
  A   D/A   A   D/A
  Chiquitita, tell me the truth,
  A   C♯m
  There is no way you can deny it,
  E D E   E7   A   D/A A
I __ see that you're oh so sad, so quiet.

Chorus 2

  A   D
    Chiquitita, you and I know
                                          A
How the heartaches come and they go and the scars they're leavin'.
                              E   D   E
You'll be dancin' once again and the pain will end,
         E7   A
You will have no time for grievin'.
                    D
Chiquitita, you and I cry
                                  E A
But the sun is still in the sky and shinin' above you,
                             E   D   E
Let me hear you sing once more like you did before,
       E7   A
Sing a new song, Chiquitita.
‖:   E   D   E
Try once more like you did before,
       E7   A
Sing a new song, Chiquitita. :‖

Dancing Queen

Words & Music by
Benny Andersson, Björn Ulvaeus & Stig Anderson

Intro | A | D/A | A | D/A |

| A | D/A | E/A A E/G♯ | D/F♯ A/E |

E   C♯7   F♯m   B7/D♯
You can dance, you can jive, having the time of your life.
D   Bm7   D/E   A   D/A
See that girl, watch that scene, diggin' the dancing queen.

| A D/A | A D/A ‖

Verse 1

A   D/A
Friday night and the lights are low,
A   F♯m
Looking out for a place to go,
  E7   A/E E7   A/E
Oh, where they play the right music, getting in the swing,
E   F♯m E/F♯ F♯m
You come to look for a king.

Verse 2

A   D/A
Anybody could be that guy, _____
A   F♯m
Night is young and the music's high,
E7   A/E E7   A/E
With a bit of rock music, ev'rything is fine.
E   F♯m   E/F♯ F♯m
You're in the mood for a dance,
      Bm7   E7
And when you get the chance…

Chorus 1

```
          A                 D/A                    A        D/A
You are the dancing queen, young and sweet, only seventeen.
A             D/A                   E/A   A      E/G♯ D/F♯   A/E
Dancing queen, feel the beat from the tam - bourine, oh    yeah. _____
E                 C♯7          F♯m                   B7/D♯
You can dance, you can jive, having the time of your life.
    D            Bm7               D/E        A         D/A  A  D/A
Oh, see that girl, watch that scene, diggin' the dancing queen. _____
```

Link

```
| A   D/A  | A   D/A  ||
```

Verse 3

```
A                            D/A
You're a teaser, you turn 'em on,
A                            F♯m
Leave 'em burning and then you're gone,
E7              A/E   E7          A/E
Looking out for another, anyone will do.
E                   F♯m          E/F♯  F♯m
You're in the mood for a dance,
            Bm7              E7
And when you get the chance…
```

Chorus 2

```
          A                 D/A                    A        D/A
You are the dancing queen, young and sweet, only seventeen.
A             D/A                   E/A   A      E/G♯ D/F♯   A/E
Dancing queen, feel the beat from the tam - bourine, oh    yeah. _____
E                 C♯7          F♯m                   B7/D♯
You can dance, you can jive, having the time of your life.
    D            Bm7               D/E        A         D/A  A  D/A
Oh, see that girl, watch that scene, diggin' the dancing queen. _____
            A          D/A   A  D/A
Diggin' the dancing queen. _____
```

Outro

```
||: A        | D/A      | A        | D/A      :||   Repeat to fade
```

21

Dance
(While The Music Still Goes On)

Words & Music by
Benny Andersson & Björn Ulvaeus

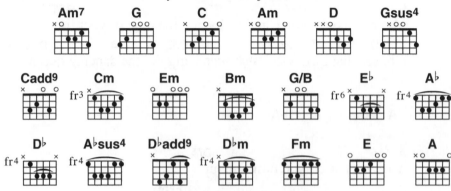

Tune guitar slightly sharp

Intro

N.C.   **Am7**
Oh, my love it makes me sad,

    G
Why did things turn out so bad?

    C
Was it just a dream,

    Am   **D**
Everything we did, everything we had?

Verse 1

(D)   **G**
Baby, give me one more dance

    C
While the music still goes on,

    D
Don't think about tomorrow.

G   **C**
Dance, and forget our time is gone,

    D
Tonight's a night we borrow.

  Gsus4 **G**   **Gsus4** **G**
Let's make it a memory, a night of our own,

  Cadd9 **C**   **Cm**
A thing to remember when we're all alone,

  G   **Em**   **C**
So dance, it's our way to say goodbye.

    D
Yes, all we have to do is....

Verse 2

    G   **C**
Dance, while the music still goes on,

             D
This is no time for crying.

G   **C**
Dance, don't you hear them play our song?

             D
God knows that we've been trying

     Gsus4   **G**   **Gsus4**   **G**
But we didn't make it 'cause nothing's the same,

    Cadd9   **C**   **Cm**
We just couldn't help it, nobody's to blame.

   G   **Em**   **C**
So dance, while the music still goes on

        D   **G**
And let it be our last goodbye.

Middle

C **Bm** **Am**
Yet, it   seems to make me sad,

        G/B
Why did things turn out so bad?

        C
Was it just a dream,

        Am   **D**
Everything we did, everything we had?

Verse 3

(D)   **G**
Baby, give me one last dance

                 C
While the music still goes on,

        D
Just like the night I met you.

G   **C**
Dance, and believe me, when you're gone

        D
You know I won't forget you.

     Gsus4   **G**   **Gsus4** **G**
Our love was a snowbird, it's flying away,

    Cadd9   **C**   **Cm**
You tell me it's over, what more can I say?

   G   **Em**   **C**
So dance, while the music still goes on,

        D   **G** **E♭**
It's gonna be our last goodbye.

Verse 4

$A\flat$ $D\flat$
Dance, while the music still goes on,

                $E\flat$
Don't think about tomorrow.

$A\flat$ $D\flat$
Dance, and forget our time is gone,

              $E\flat$
Tonight's a night we borrow.

    $A\flat$sus4 $A\flat$ $A\flat$sus4 $A\flat$
Let's make it a memory, a night of our own,

   $D\flat$add9 $D\flat$ $D\flat$m
A thing to remember when we're all alone.

     $A\flat$ Fm $D\flat$
So dance, while the music still goes on

        $E\flat$ $A\flat$ E
And let it be our last goodbye.

Verse 5

    A   D
‖: Dance, while the music still goes on,

        E
This is no time for crying.

A   D
Dance, don't you hear them play our song?

        E
God knows that we've been trying.

A   D
Dance, while the music still goes on,

        E
Just like the night I met you.

A   D
Dance, and believe me, when you're gone

        E
You know I won't forget you. :‖ *Repeat to fade*

The Day Before You Came

Words & Music by
Benny Andersson & Björn Ulvaeus

Intro | Cm | Cm | Cm | Cm ‖

Verse 1

      Cm   **A♭**   **G**
I must have left my house at eight because I always do.

                                                Cm
My train, I'm certain, left the station just when it was due.

                                B♭
I must have read the morning paper going into town,

And having gotten through the editorial,

  B♭/D   **E♭**
No doubt I must have frowned.

                                    B♭
I must have made my desk around a quarter after nine,

                                          E♭
With letters to be read and heaps of papers waiting to be signed.

 A♭   **E♭/G**
I must have gone to lunch at half past twelve or so,

         Fm
The usual place, the usual bunch.

                              Dm7♭5   **G**
And still on top of this I'm pretty sure it must have rained,

        Cm
The day before you came.

Verse 2

       Cm   G
I must have lit my seventh cigarette at half past two,

                                   Cm
And at the time I never even noticed I was blue.

                                         B♭
I must have kept on dragging through the business of the day,

                                       E♭
Without really knowing anything, I hid a part of me away.

                                       B♭
At five I must have left, there's no exception to the rule.

                                       E♭
A matter of routine, I've done it ever since I finished school.

    A♭
The train back home again,

   E♭/G   Fm
Undoubtedly I must have read the evening paper then,

                             Dm7♭5   G
Oh yes, I'm sure my life was well within its usual frame,

                   Cm
The day before you came.

Instrumental

(Cm)	Cm	Bdim	Bdim
A♭dim	G	Cm	Cm
Adim	Adim	Cm/G	Cm/G
Gsus4	G	Cm	Cm ‖

Verse 3

       Cm   A♭   G
I must have opened my front door at eight o'clock or so,

                                       Cm
And stopped along the way to buy some Chinese food to go.

                                 B♭
I'm sure I had my dinner watching something on T.V.

                                       E♭
There's not, I think, a single episode of Dallas that I didn't see.

                               B♭
I must have gone to bed around a quarter after ten,

                               E♭
I need a lot of sleep and so I like to be in bed by then.

cont.

A♭
I must have read a while,

E♭/G   **Fm**
The latest one by Marilyn French, or something in that style.

                                    Dm7♭5   **G**
It's funny but I had no sense of living without aim,

                      Cm
The day before you came.

          A♭
And turning out the light,

E♭/G   **Fm**
I must have yawned and cuddled up for yet another night.

                              Dm7♭5   **G**
And rattling on the roof I must have heard the sound of rain,

                      Cm
The day before you came.

Outro | (Cm) | Cm   ‖: Bdim | Bdim |

          | A♭dim | G | Cm | Cm |

          | Adim | Adim | Cm/G | Cm/G |

          | Gsus4 | G | Cm | Cm   :‖   *Repeat to fade*

Dum Dum Diddle

Words & Music by
Benny Andersson & Björn Ulvaeus

Intro

| A/E E | A/E E | A/E E | A/E E ‖

Verse 1

   E   F♯m   A   B
I can hear how you work, practising hard,
            E   B A
Playing night and day, oh._
E   F♯m   A   B
And it sounds better now, yes you improve
           E   B A
Every time you play, oh._
          F♯m
But it's bad,
G♯m   F♯m
  You're so sad,
G♯m   F♯m F♯m/E B
  And you're only   smiling
            F♯m   F♯m/E B
When you play your violin.

Chorus 1

   E   B
Dum dum diddle to be your fiddle,
     F♯m   B
To be so near ya and not just hear ya.
   E   B
Dum dum diddle, to be your fiddle,
    F♯m   B
I think then maybe you'd see me, baby.
A   B
You'd be mine,
        A   B
And we'd be together all the time.
       E   G♯m   A   B
Wish I was dum dum diddle, your darling fiddle.

Link 1 | A/E E | A/E E | A/E E | A/E E ‖

Verse 2

```
E          F♯m           A      B
But I think you don't know that I exist,
           E          B A
I'm the quiet kind, oh._
E          .   F♯m        A        B
From the day when I first listened to you
               E           B A
You've been on my mind, oh._
             F♯m
You don't care,
G♯m        F♯m
  It's not fair,
G♯m              F♯m  F♯m/E   B
  And you're only  smiling
             F♯m      F♯m/E  B
When you play your violin.
```

Chorus 2

```
E                    B
Dum dum diddle to be your fiddle,
     F♯m              B
To be so near ya and not just hear ya.
E                    B
Dum dum diddle, to be your fiddle,
  F♯m                      B
I think then maybe you'd see me, baby.
A        B
You'd be mine,
          A                  B
And we'd be together all the time.
```

Chorus 3   As Chorus 1

Outro   ‖: A/E E | A/E E | A/E E | A/E E :‖   *Repeat to fade*

Does Your Mother Know

Words & Music by
Benny Andersson & Björn Ulvaeus

Intro

‖: G | G | G | G :‖

‖: G Gsus4 G | G Gsus4 G Gsus4 G :‖

Verse 1

G
You're so hot,
   Em
Teasing me.
G   C G/B
So you're blue but I can't
   Am   G   D Dsus4 D
Take a chance on a chick like you,
Dsus4 D Dsus4 D   G Gsus4 G Gsus4 G Gsus4 G
It's something I couldn't do.

Verse 2

G
There's that look
    Em
In your eyes.
G C   G/B
I can read in your face
    Am   G   D Dsus4 D
That your feelings are driving you wild,
  Dsus4 D Dsus4 D   G Gsus4 G
Oh, but girl you're only a child.

Chorus 1

            C   Csus4
Well, I could dance with you honey

  C   Csus4
If you think it's funny,

   C   G
Does your mother know that you're out?

              C   Csus4
And I could chat with you baby,

  C   Csus4
Flirt a little, maybe,

   C   G
Does your mother know that you're out?

                     G7
Take it easy, (take it easy)

        C/G   Cm/G
Better slow down, girl.

           G   Cm/G
That's no way to go,

            G   Cm/G
Does your mother know?

          G   G7
Take it easy, (take it easy)

        C/G   Cm/G
Try to cool it, girl.

           G   Cm/G
Take it nice and slow,

            G   Cm/G
Does your mother know?

Link

‖: G | G | G | G   :‖

‖: G Gsus4 G | G Gsus4 G Gsus4 G :‖

Verse 3

G
I can see

            Em
What you want,

G   C   G/B
But you seem pretty young

       Am   G   D   Dsus4 D
To be searching for that kind of fun,

   Dsus4 D Dsus4 D   G Gsus4 G Gsus4 G Gsus4 G
So may - be I'm   not the one.

Verse 4

           G
Now, you're so cute,

                Em
I like your style.

G   **C**   **G/B**
And I know what you mean

              Am   **G**   **D**   **Dsus4 D**
When you give me a flash of that smile, (smile)

Dsus4 D **Dsus4 D**   **G** **Gsus4 G**
But   girl you're only a child.

Chorus 2   As Chorus 1

Outro

    G   **C**   **Csus4**
∥: Well, I could dance with you honey

C   **Csus4**
If you think it's funny,

C   **G**
Does your mother know that you're out?

           C   **Csus4**
And I could chat with you baby,

C   **Csus4**
Flirt a little, maybe,

C   **G**
Does your mother know that you're out? :∥ *Repeat to fade*

Fernando

Words & Music by
Benny Andersson, Björn Ulvaeus & Stig Anderson

Intro

| A | A | A | A | D E D/F# |

| D/F# E/G# A | A | A | A |

Verse 1

A
Can you hear the drums Fernando?

                    F#m
I remember long ago another starry night like this.

     Bm
In the firelight Fernando,

                             E
You were humming to yourself and softly strumming your guitar.

I could hear the distant drums

                   A
And sounds of bugle calls were coming from afar.

Verse 2

A
They were closer now Fernando.

                  F#m
Ev'ry hour, ev'ry minute seemed to last eternally.

     Bm
I was so afraid Fernando,

                           E
We were young and full of life and none of us prepared to die.

And I'm not ashamed to say

                  A
The roar of guns and cannons almost made me cry.

Chorus 1

A   E7
There was something in the air that night,
                                A
The stars were bright, Fernando.
                                      E7
They were shining there for you and me,
                 A
For liberty, Fernando.
           A/G   F#
Though we never thought that we could lose,
           B7
There's no regret.
              E7
If I had to do the same again,
                      A
I would my friend, Fernando.
              E7
If I had to do the same again,
                       D   E D/F# | D/F#   E/G# A |
I would my friend, Fernando.

| A | A D/A A | E | E | A ||

Verse 3

A
   Now we're old and grey Fernando,
                                                                  F#m
And since many years I haven't seen a rifle in your hand.
                             Bm
Can you hear the drums Fernando?
                                                                   E
Do you still recall the fateful night we crossed the Rio Grande?

I can see it in your eyes,
                                               A
How proud you were to fight for freedom in this land.

Chorus 2

A   E7
There was something in the air that night,
                                A
The stars were bright, Fernando.
                                      E7
They were shining there for you and me,
                 A
For liberty, Fernando.

         A/G   **F♯**

Though we never thought that we could lose,

        B7

There's no regret.

             E7

If I had to do the same again,

                   A

I would my friend, Fernando.

Chorus 3

   A   **E7**

There was something in the air that night,

                  A

The stars were bright, Fernando.

                  E7

They were shining there for you and me,

           A

For liberty, Fernando.

         A/G   **F♯**

Though we never thought that we could lose,

        B7

There's no regret.

             E7

If I had to do the same again,

                   A

I would my friend, Fernando.

             E7

‖: If I had to do the same again,

                   A

I would my friend, Fernando. :‖ *Repeat to fade*

Eagle

Words & Music by
Benny Andersson & Björn Ulvaeus

Intro   ‖: Em | Em | A/E | A/E :‖

Verse 1

Em
   They came flying from far away,

Now I'm under their spell.
            D   Em
I love hearing the stories that they tell.

They've seen places beyond my land,
                    Bm
And they've found new horizons.
Em   D   Em
   They speak strangely but I understand.
              B/F♯
And I dream I'm an eagle,
Em/G   A
   And I dream I can spread my wings.

Chorus 1

        G   D   Em   D
Flying high, high, I'm a bird in the sky,
        Em   D   Em
I'm an eagle that rides on the breeze.
G   D   Em   D
High, high, what a feeling to fly,
        Em   D   Em
Over mountains and forests and seas
        G   D   Cmaj⁷
And to go anywhere that I please.

Instrumental | Em | Em | A/E | A/E ||

Verse 2

Em
As all good friends we talk all night,

And we fly wing to wing.

                D   Em
I have questions and they know everything.

There's no limit to what I feel,

                Bm
We climb higher and higher.

Em   D   Em
Am I dreaming or is it all real?

            B/F♯
Is it true I'm an eagle?

Em/G   A
Is it true I can spread my wings?

Chorus 2

      G   D   Em   D
Flying high, high, I'm a bird in the sky,

     Em   D   Em
I'm an eagle that rides on the breeze.

G   D   Em   D
High, high, what a feeling to fly,

     Em   D   Em
Over mountains and forests and seas.

     G   D   Cmaj7
And to go anywhere that I please.

Outro ‖: Em | Em | A/E | A/E :‖ *Repeat to fade*

Gimme! Gimme! Gimme!
(A Man After Midnight)

Words & Music by
Benny Andersson & Björn Ulvaeus

Intro

‖: Dm Gm | Cadd9 Dm | Gm Dm | Cadd9 Dm :‖

| Dm ‖: Dm | Dm C/E F | Am | Dm :‖ Dm ‖

Verse 1

Dm   G
Half past twelve and I'm watchin' the late show in my flat all alone,

            Dm
How I hate to spend the evening on my own.

        G
Autumn winds blowin' outside the window as I look around the room,

           Dm
And it makes me so depressed to see the gloom.

Gm6/B♭
 There's not a soul out there,

Gm6   Dm/A | A ‖
 No one to hear my prayer. _____

Chorus 1

Dm   Gm/B♭ Cadd9 Dm
Gimme! Gimme! Gimme! A man after midnight,

 Gm/B♭   Dm   C   Dm
Won't somebody help me chase the shadows away.

     Gm/B♭ Cadd9 Dm
Gimme! Gimme! Gimme! A man after midnight,

 Gm/B♭   Dm   C   Dm
Take me through the darkness to the break of the day.

Link ‖: Dm | Dm C/E F | Am | Dm :‖ Dm ‖

Verse 2

Dm   G
Movie stars find the end of the rainbow with a fortune to win,
                                        Dm
It's so diff'rent from the world I'm livin' in.
              G
Tired of T. V. I open the window and I gaze into the night,
                                        Dm
But there's nothing there to see, no one in sight.
Gm/B♭
    There's not a soul out there,
Gm   Dm/A | A   ‖
    No one to hear my prayer. _____

Chorus 2   As Chorus 1

Middle

Dm   Gm/B♭
Gimme! Gimme! Gimme!
        Cadd⁹   Dm   Gm/B♭ Dm C Dm
A man after midnight, _____
                Gm/B♭
Gimme! Gimme! Gimme!
        Cadd⁹   Dm   Gm/B♭ Dm C Dm
A man after midnight. _____

Instrumental ‖: Dm | Dm | Dm | Dm :‖ *Play 6 times*

Gm/B♭
    There's not a soul out there,
Gm   Dm/A | A   ‖
    No one to hear my prayer. _____

Chorus 3   As Chorus 1

Chorus 4   As Chorus 1

Outro   ‖: Dm | Dm C/E F | Am | Dm :‖ *Repeat to fade*

Gonna Sing You
My Lovesong

Words & Music by
Benny Andersson & Björn Ulvaeus

Intro

| Asus⁴ A Bm¹¹ | Asus⁴ A Bm⁷ |

| Asus⁴ A Bm¹¹ | Asus⁴ A E⁹sus⁴ ‖

Verse 1

A   Dmaj⁷   E   A
You say she's been mad at you,

D   A   Bm⁷ E⁹sus⁴
Then you say you'll be patient,   mmm.__

A   Dmaj⁷   E   A
Still I see that she makes you blue,

D   C♯m⁷   B⁷
Come on, I'll give you consolation.

Chorus 1

                        A
Gonna sing you my lovesong,

                    A/C♯ D
Gonna bring you some light.

                E⁹sus⁴ A   A/C♯ D
Wanna make you feel   happy every day of your life.

                E⁹sus⁴ A
Gonna sing you my   lovesong,

                A/C♯ D
Gonna make it alright

C♯m   Bm⁷   E
You're all I ever need, my darling.

Verse 2

|A   Dmaj7   E   A|
Just to be where you wanna be,

D   A   Bm7   E9sus4
So much fun we could have then,   mmm._

A   Dmaj7   E   A
To be yours for eternity,

D   C#m7   B7
What a miracle to happen.

Chorus 2

                  A
Gonna sing you my lovesong,

           A/C# D
Wanna sing it for you.

          E9sus4 A
Gonna give you sweet   loving,

         A/C# D
Gonna give myself too.

          E9sus4 A
Wanna sing you my   lovesong,

         A/C# D
When I think about you.

C#m Bm7   E
 I   know she doesn't make it easy

     Bm7   G#m7♭5 C#7
'Cause you don't please her like you please   me.

Middle

F#m   G#m7♭5   C#7 F#m
You're my love, you're my an - gel,

        G#m7♭5   C#7
You're my first, you're my last.

F#m   E   A   D   G
Would she care if you lingered   for another night?

      D
Wanna hold you tight,

      Bm7
We could make it right.

Chorus 3

                        A
Gonna sing you my lovesong,

                        A/C♯ D
Gonna bring you some light.

                E⁹sus⁴ A   **A/C♯ D**
Wanna make you feel   happy every day of your life.

                E⁹sus⁴ A
Gonna sing you my   lovesong,

                A/C♯ D
Gonna make it alright.

C♯m Bm⁷   **E⁹sus⁴**
 I   know she doesn't make it easy.

Chorus 4

                        A
Gonna sing you my lovesong,

                        A/C♯ D
Wanna sing it for you.

                E⁹sus⁴ A
Gonna give you sweet   loving,

                A/C♯ D
Gonna give myself too.

                E⁹sus⁴ A
Wanna sing you my   lovesong,

                A/C♯ D
When I think about you.

C♯m   **Bm⁷**   **E**
 You're all I ever need, my darling,

    Bm⁷   **E**   **Asus⁴ A Bm¹¹**
And I would love to sing my lovesong for you.

| **Asus⁴ A Bm⁷** | **Asus⁴ A Bm¹¹** | **Asus⁴ A Bm⁷** ‖

Happy New Year

Words & Music by
Benny Andersson & Björn Ulvaeus

Intro
| Asus² | E/A | A6/9 | E/A |
| Asus² | E/A | A6/9 | E ||

Verse 1

    A   **Bm⁷**   **A/C♯**
No more champagne and the fireworks are through,

      D   **A/C♯**
Here we are, me and you.

    Bm⁷   **E⁹sus⁴**
Feeling lost and feeling blue,

     A   **Bm⁷♭5**
It's the end of the party.

    A/C♯   **C♯7**
And the morning seems so grey,

   D   **A/C♯**
So unlike yesterday,

    Bm⁷   **Esus⁴ E**
Now's the time for us to say:___

Chorus 1

     A   **C♯7/F**
Happy new year, happy new year.

  F♯m **D**   **F♯7/A♯**
May we all have a vision now and then

           Bm⁷
Of a world where every neighbour is a friend.

E   **A**   **C♯7/F**
  Happy new year, happy new year,

  F♯m   **D**   **F♯7/A♯**
May we all have our hopes, our will to try.

         Bm⁷ E   **Bm⁷ E7**
If we don't, we might as well lay down and die, you and I.

Verse 2

     A   Bm7   A/C#   C#7
Sometimes I see how the brave new world arrives,

     D   A/C#
And I see how it thrives

     Bm7   E9sus4
In the ashes of our lives.

     A   Bm7b5
Oh yes, man is a fool

     A/C#   C#7
And he thinks he'll be O.K.

     D   A/C#
Dragging on feet of clay,

     Bm7   A
Never knowing he's astray,

     Bm7   Esus4 E
Keeps on going anyway.___

Chorus 2

     A   C#7/F
Happy new year, happy new year.

     F#m   D   F#7/A#
May we all have a vision now and then

                    Bm7
Of a world where every neighbour is a friend.

   E   A   C#7/F
 Happy new year, happy new year,

     F#m   D   F#7/A#
May we all have our hopes, our will to try.

                 Bm7 E
If we don't, we might as well lay down and die,

Bm7 E7   Asus2 E/A A6/9 E/A
You   and I._____

Link | Asus2 | E/A | A6/9 | E   ‖

44

Verse 3

  A   **Bm7**
Seems to me now

   A/C♯   **C♯7**   **D**
That the dreams we had before are all dead,

   A/C♯   **Bm7**   **E9sus4**
Nothing more than confetti on the floor.

   A   **Bm7♭5**
It's the end of a decade,

  A/C♯   **C♯7**
In another ten years time

    D   **A/C♯**
Who can say what we'll find?

    D   **A**
What lies waiting down the line

  Bm7   **Esus4 E**
In the end of eighty-nine?___

Chorus 3

     A   **C♯7/F**
Happy new year, happy new year.

    F♯m **D**   **F♯7/A♯**
May we all have a vision now and then

           Bm7
Of a world where every neighbour is a friend.

E   **A**   **C♯7/F**
 Happy new year, happy new year,

    F♯m **D**   **F♯7/A♯**
May we all have our hopes, our will to try.

           Bm7 **E**
If we don't, we might as well lay down and die,

Bm7 E7 **Asus2** **E/A** **A6/9** **E/A**
You and I._____

Outro | **Asus2** | **E/A** | **A6/9** | **E** | **A** ‖

Hasta Mañana

Words & Music by
Benny Andersson, Björn Ulvaeus & Stig Anderson

Intro | F | Am | B♭ | C ‖

Verse 1

F   Am   B♭ C
Where is the spring and the summer

F   Am   B♭ D7
That once was yours and mine?

Gm   B♭m
Where did it go? I just don't know,

Gm   G7   C7sus4 C7 C7sus4 C7
But still my love for you will live for-ev - er.

Chorus 1

F   Am
Hasta Mañana 'til we meet again,

      Dm D7   Gm
Don't know where, don't know when.

            C
Darling, our love was much too strong to die,

Gm   C7sus4 C7 C7sus4 C7
We'll find a way to face a new to-mor - row.

F   Am
Hasta Mañana, say we'll meet again,

    D   Gm
I can't do without you.

B♭
Time to forget, send me a letter,

B♭m
Say you forgive, the sooner the better,

F   D7   Gm C   F
Hasta Mañana baby, Hasta Mañana until then.

Verse 2

F   Am   B♭ C
Where is the dream we were dreaming,

F   Am B♭ D7
And all the nights we shared?

Gm
Where did they go?

B♭m
I just don't know,

Gm   G7   C7sus4 C7 C7sus4 C7
And I can't tell you just how much I miss you.

Chorus 2

F   Am
Hasta Mañana 'til we meet again,

       Dm D7   Gm
Don't know where, don't know when.

             C
Darling, our love was much too strong to die,

Gm   C7sus4 C7 C7sus4 C7
We'll find a way to face a new   to - mor - row.

F   Am
Hasta Mañana, say we'll meet again,

      D   Gm
I can't do without you.

B♭
Time to forget, send me a letter,

B♭m
Say you forgive, the sooner the better,

F   D7   Gm C   F C♯7
Hasta Mañana baby, Hasta Mañana until then.

Chorus 3

F♯   A♯m
Hasta Mañana, say we'll meet again,

      D♯   G♯m
I can't do without you.

B
Time to forget, send me a letter,

Bm
Say you forgive, the sooner the better,

F♯   D♯7   G♯m C♯   F♯
Hasta Mañana baby, Hasta Mañana until then.

| F♯ | F♯ | ‖

Hey, Hey Helen

Words & Music by
Benny Andersson & Björn Ulvaeus

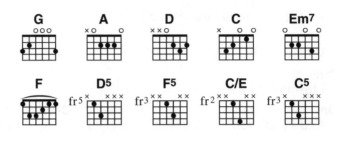

Intro   **Drums for 4 bars**

G A │ D A │ G A │ D A ‖

Verse 1

  G A D A G
 So at last you're free,

    D   A G
It's the way you wanted it to be.

  A D A G
And the price you paid

   D   A G
To become a woman of to-day.

    D   A   C Em7
Is it worth the pain to see the children cry?__

    G
Does it hurt when they ask for daddy?

Chorus 1

  D A G F C
Hey, hey Helen,

  D   A   G C F
 Now you live on your own.

  D A G F C
Hey, hey Helen,

  D   A   G F C D
 Can you make it alone? (Yes, you can)

Verse 2

```
         G  A   D    A G
So you're free at last (lucky woman)
           D              A  G
And beginning to forget the past, (lucky woman)
           A D      A  G
Does it  make you sad (being lonely)
               D              A    G
When you think about the life you had?
             A    D       A              C  Em7
But you're right, you had to take a second chance,
               G
So you fight to find your freedom.
```

Chorus 2

```
         D    A    G    F C
Hey, hey Helen,
      D         A            G  F C
   Now you live on your own.
      D    A    G    C F
Hey, hey Helen,
      D         A          G   F C
   Can you make it alone?
      D    A    G    F
Hey, hey Helen,
      D           A             G  F C
   What's the matter with you?
      D    A    G    F C
Hey, hey Helen,
      D          A              G F C      D5
   Don't you know what to do?    Yes you do!
```

Middle

```
F5  C/E  C5  D5      F5  C/E  C5  D5
               A-ha,_____ yes you do,
           F5  C/E  C5  D5
Yes, you do._____
      F5  C/E  C5  D5
A-ha,          yes you do,
          F5  C/E  C5  A
Yes, you do._____
```

Chorus 3   ‖: As Chorus 2 :‖   *Repeat to fade*

Honey Honey

Words & Music by
Benny Andersson, Björn Ulvaeus & Stig Anderson

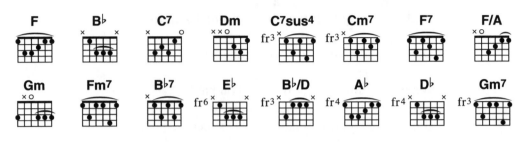

Tune guitar slightly flat

Intro | F | F | B♭ . | B♭ C7 ‖

Verse 1
F   B♭
   Honey honey, how you thrill me, aha, honey honey.
F   B♭
   Honey honey, nearly kill me, aha, honey honey.
      F   Dm
I'd heard about you before,
   F   Dm
I wanted to know some more.
         F   Dm
And now I know what they mean,
                    B♭
You're a love machine,
                       C7
Oh, you make me dizzy.

Verse 2
F   B♭
   Honey honey, let me feel it, aha, honey honey.
F   B♭
   Honey honey, don't conceal it, aha, honey honey.
         F   Dm
The way that you kiss good night,
         F   Dm
The way that you hold me tight,
      F   Dm
I feel like I wanna sing
                   B♭ | C7sus4 | C7   ‖
When you do your thing.

Middle 1

    Cm7   **F**
I don't wanna hurt you baby,

    B♭   **F/A**   **Gm**
I don't wanna see you cry.

    Cm7
So stay on the ground girl,

    F7   **B♭**
You better not get too high.

    Fm7   **B♭7**
But I'm gonna stick to you boy,

    E♭   **B♭/D** **A♭**
You'll never get rid of me.

                          D♭
There's no other place in this world

                  Gm7 **C7**
Where I rather would be.

Verse 3

F   **B♭**
  Honey honey, touch me baby, aha, honey honey.

F   **B♭**
  Honey honey, hold me baby, aha, honey honey.

   F   **Dm**
You look like a movie star,

   F   **Dm**
But I know just who you are,

   F   **Dm**
And honey, to say the least,

         B♭ | **C7sus4** | **C7**   ‖
You're a doggone beast.

Middle 2 | **Cm7** | **F** | **B♭ F/A** | **Gm** |

    Cm7
So stay on the ground girl,

    F7   **B♭**
You better not get too high.

| **Fm7** | **B♭7** | **E♭ B♭/D** | **A♭** |

                          D♭
There's no other place in this world

                  Gm7 **C7**
Where I rather would be.

Verse 4   ‖: As Verse 1 :‖   *Repeat to fade*

Head Over Heels

Words & Music by
Benny Andersson & Björn Ulvaeus

Intro

| C#m | C#m | C#m | C#m |

| C#m | F#m | B | E |

| C#m | F#m | G#7 | C#m |

| G#7 | C#m |

Verse 1

C#m   G#7
I have a very good friend,

        C#m
The kind of girl who likes to follow a trend.

    G#7
She has a personal style,

        C#m
Some people like it, others tend to go wild.

    B
You hear her voice everywhere,

G#7
Taking the chair.

C#m   C#m/B   A   G#
She's a leading lady

    C#m   G#/C#   C#m   C#7
And with no trace of hesi - tation

F#m/C#   C#
She keeps going,

```
                 F♯m/C♯        B
Chorus 1         Head over heels, breaking her way,

                                      G♯7     C♯m
                 Pushing through unknown jungles   everyday.
                       B  A        G♯sus4 G♯7        C♯m
                 She's a girl   with a taste        for the world.
                     (C♯m)   G♯/C♯  C♯m       C♯7
                 (The world is like a  playing-ground
                         F♯m/C♯   C♯
                 Where she goes rushin')
                 F♯m/C♯        B
                 Head over heels, setting the pace,
                                  G♯7        C♯m
                 Running the gauntlet in a    whirl of lace.
                       B    A        G♯sus4 G♯7        C♯m
                 She's extreme,  if you know        what I mean.
```

Link | C♯m | C♯m   ‖

```
                 C♯m         G♯7
Verse 2            Her man is one I admire,
                                  C♯m
                 He's so courageous but he's constantly tired.
                         G♯7
                 Each time when he speaks his mind
                                         C♯m
                 She pats his head and says, "That's all very fine,
                         B
                 Exert that will of your own
                 G♯7
                 When you're alone,
                 C♯m        C♯m/B  A   G♯
                 Now we'd better   hurry."
                       C♯m     G♯/C♯   C♯m  C♯7
                 And with no trace of hesitation
                 F♯m/C♯      C♯
                 She keeps  going,
```

Chorus 2   As Chorus 1

Instrumental | C♯m   ‖ C♯m | F♯m | B |

              | E | C♯m | F♯m | G♯7   ‖

53

Verse 3

C#   B
You hear her voice everywhere,

G#7
Taking the chair.

C#m   C#m/B   A   G#
She's a leading lady

     C#m   G#/C#   C#m   C#7
And with no trace of hesi - tation

F#m/C#   C#
She keeps going,

Chorus 3

F#m/C#   B
Head over heels, breaking her way,

                G#7   C#m
Pushing through unknown jungles   everyday.

     B   A   G#sus4 G#7   C#m
She's a girl   with a taste   for the world.

    (C#m)   G#/C#   C#m   C#7
(The world is like a playing-ground

        F#m/C#   C#
Where she goes rushin')

F#m/C#   B
Head over heels, setting the pace,

             G#7   C#m
Running the gauntlet in a   whirl of lace.

     B   A   G#sus4 G#7   C#m
She's extreme, if you know   what I mean.

  (C#m)   G#/C#   C#m
(I think she's one of those who

C#7   F#m/C#   C#   F#m/C#   B
Always likes to do whatever she feels)

A   G#sus4   G#   A   B   C#m
  And she goes   head over heels._____

I Wonder (Departure)

Words & Music by
Benny Andersson, Björn Ulvaeus & Stig Anderson

Intro | C   Am | F   G/F | C/E   Am | Dm7/G   G ‖

Verse 1

C   Fmaj7   G/B C   F G
This park and these hou - ses,

C   Fmaj7   D/F♯   Gsus4 G
Old streets I have walked.

C   C/E   F
Everything dear,

G/F   C
Will it be here

F   Dm7   Dm7/G
One day when I_ am returning?

Verse 2

C   Fmaj7   D/F♯   Gsus4 G
My friends will get married,

C   Fmaj7   D/F♯   Gsus4 G
Have children and homes.

C   C/E   F
It sounds so   nice,

G/B   C
Well planned and wise,

F   Dm7   Dm7/G
Never expecting surprises.

Chorus 1

F Faug F6 C/E Amadd9 Am
I won - der, it's frighten - ing,

Dm   Dm/C G/B   Gm7 C
Leaving now, is that the right thing?

F G/F   Em7 Am
I wonder, it scares me,

Dm7   E7   E7/G♯ Am
But who the hell am   I,

Gm7   C Caug F
If I don't ev - en   try?

G/F   C/E Am
I'm not a cow-ard,

Dm7 Dm7/G   C Gm7 C
Oh no, I'll be strong.___

F   G/F   Em7 Am
One chance in a life - time,

Dm7
Yes, I will take it,

  Dm7/G C
It can't go wrong.

Instrumental | (C) Fmaj7 | G   C | C   Fmaj7 | D/F♯ Gsus4 G|

| C   F | G/F C | F Dm7 | Dm7/G ||

Verse 3

C   Fmaj7   G C
My friends and my family,

     Fmaj7   D/F♯   Gsus4 G
This dull little town.

C   C/E F
Buses I've missed,

G/F   C
Boys that I've kissed,

F   Dm7   Dm7/G
Everything old and familiar.

Chorus 2

F   Faug F6   C/E Amadd9   Am
I won - der, it's frighten - ing,

Dm   Dm/C   G/B   Gm7 C
Leaving now, is that the right thing?

F   G/F   Em7 Am
I wonder, it scares me,

Dm7   E7   E7/G♯ Am
But who the hell am   I,

Gm7   C   Caug F
If I don't ev - en   try?

G/F   C/E Am
I'm not a cow-ard,

Dm7 Dm7/G   C Gm7 C
Oh no, I'll be strong.__

F   G/F   Em7 Am
One chance in a life - time,

Dm7 | Dm7 |
Yes, I will take it,

Yes, I will take it,

   Dm7/G G C C/E F Fm
It can't   go wrong.__

| C F/C | C   ‖

I Am The City

Words & Music by
Benny Andersson & Björn Ulvaeus

Intro ‖: A | E/A | D/A | D/A :‖ A | A ‖

Verse 1

A   D
Coming through a cloud you're looking at me from above

                                  A
And I'm a revelation spreading out before your eyes.

                          D
And you find me beautiful and irresistible,

                                      A
A giant creature that forever seems to grow in size.

E   D
And you feel a strange attraction, ooh, ooh,

                          A
The air is vibrant and electrified.

E   A
Welcome to me, here I am, my arms are open wide.

Verse 2

A   D
Somewhere in the middle of the never ending noise

                                    A
There is a pulse, a steady rhythm of a heart that beats.

                          D
And a million voices blend into a single voice

                                    A
And you can hear it in the clamour of the crowded streets.

E   D
People come and take their chances, ooh, ooh,

                                  A
Sometimes you win, sometimes you lose a lot,

E
Come make your own contribution to this melting pot.

58

A   E/A   D/A

I'm the street you walk, the language you talk,

I am the city.

A   E/A   D/A

The skyline is me and the energy,

I am the city.

A   E/G♯   G

The famous hotels and the cocktail bars

                F♯m   A

And the funny smells and the turmoil of cars

       D   F♯m E   C♯m   D

And the people, the air that you're breathing is me.

         Dm   A

Yes I am the city, you let me be.

Verse 3

A   D

People feed me with their lives, I am a hungry soul

                                       A

And they all worship me and pay their homage day and night.

                         D

Every day I hear a lot of tired, shuffling feet

                                A

But come tonight they will be dancing in the neon light.

E   D

Dazzled by the crazy magic, ooh, ooh,

                      A

They're grabbing pieces of the fatted calf.

E

And in the wind if you listen hard

You'll hear me laugh.

```
                    A                    E/A                 D/A
Chorus 2            I'm the street you walk, the language you talk,

                    I am the city.
                    A                E/A              D/A
                    The skyline is me and the energy,

                    I am the city.
                    A                  E/G♯                    G
                    The famous hotels and the cocktail bars
                              F♯m                         A
                    And the funny smells and the turmoil of cars
                          D      F♯m E          C♯m              D
                    And the people, the parks and the squares that you see,
                    Dm           A            D
                    All the sounds that you hear
                        F♯m E              C♯m             D
                    And the  air that you're breathing is me.

                    Yes I am the city, you let me be.


Middle              │ A        │ E/A      │
                    D/A                Dm/A
                    I am the city, you let me be.

                    │ A        │ E/A      │
                    D/A
                    I am the city.


                    A                     E/G♯                 G
Outro               The famous hotels and the cocktail bars
                                     D
                    And the funny smells and the turmoil of cars,
                                      A
                    And the people, the air that you breathe.
                                            Coming through a cloud
                                 D
                    You're looking at me from above
                                               A
                    And I'm a revelation spreading out before your eyes.        E/A
                                                             I'm the street you walk,
                               D/A
                    The language you talk,
                                           Dm/A
                    I am the city, yes, I am the city, you let me be.

60
```

     A   **D**
And you find me beautiful and irresistible,

                                      A
A giant creature that forever seems to grow in size.   **E/A**
                                      The skyline is me

               D/A   **Dm/A**
And the energy, I am the city, you let me be.

A   **D**
Somewhere in the middle of the never ending noise

                               A
There is a pulse, a steady rhythm of a heart that beats.   **E/A**
                                    I'm the streets you walk,

               D/A
The language you talk,

                    Dm/A
I am the city, yes, I am the city, you let me be.

A   **D**
And a million voices blend into a single voice

                             A
And you can hear it in the clamour of the crowded streets.

A   **E/A**   **D/A**
  The skyline is me and the energy,

I am the city.   *To fade*

I Do, I Do, I Do, I Do, I Do

Words & Music by
Benny Andersson, Björn Ulvaeus & Stig Anderson

Intro | G | G | C | G ‖

Verse 1

C   G   C
Love me or leave me,

Csus4 C A7   Dm
Make   your choice but believe me,

       G
I love you,

                      C   G
I do, I do, I do, I do, I do.

C G   C
I   can't conceal it,

Csus4 C A7   Dm
Don't you see, can't you feel it?

             G
Don't you too?

                   C F C
I do, I do, I do, I do, I do. ⸻

Chorus 1

           Gm   C7   F F/E   F/D F/C
Oh, I've been dreamin' through my lonely past, ⸻

D7   Dm7   G
   Now I just made it, I found you at last.

          C G   C Csus4 C A7   Dm
So come on now let's try it, I   love you, can't deny it

           G
'Cause it's true,

                 C F C
I do, I do, I do, I do, I do. ⸻

| G | G | C | G ‖

Verse 2

   C   **G**   **C**
Let's get together,

Csus4 **C** **A7**   **Dm**
Ev' - ry day will be better,

       G
I love you,

                   C   **G**
I do, I do, I do, I do, I do.

C   **G**   **C**
Leave it or take it,

Csus4 **C** **A7**   **Dm**
I   be - lieve we can make it,

         G
Don't you too?

                C **F** **C**
I do, I do, I do, I do, I do. _____

Chorus 2

       Gm   **C7**   **F** **F/E**   **F/D** **F/C**
Oh, no hard feelings between you __ and me , _____

D7   **Dm7**   **G**
  If we can't make it but just wait and see.

         C **G**   **C** **Csus4** **C**   **A7**   **Dm**
So come on now let's try it, I   love you, can't deny it

          G
'Cause it's true,

                C **F** **C**
I do, I do, I do, I do, I do. _____

| **G** | **G** | **C** **F** | **C** ‖

I Have A Dream

Words & Music by
Benny Andersson & Björn Ulvaeus

| Asus⁴ | A | E | E⁷ | D |

Capo first fret

Intro | Asus⁴ | A | A | E |

| E | A |

Verse 1

   A   E⁷
  I have a dream,

      A
A song to sing

        E⁷
To help me cope

     A
With anything.

          E⁷
If you see the wonder

     A
Of a fairy tale,

           E⁷
You can take the future

     A
Even if you fail.

Chorus 1

      E⁷
I believe in angels,

         D   A
Something good in everything I see.

      E⁷
I believe in angels

          D   A
When I know the time is right for me.

      E⁷
I'll cross the stream,

   A
I have a dream.

Verse 2

    A   E7   A
I have a dream, a fantasy

          E7   A
To help me through reality.

        E7
And my destination

           A
Makes it worth the while,

          E7
Pushing through the darkness,

       A
Still another mile.

Chorus 2

          E7
I believe in angels,

            D   A
Something good in everything I see.

          E7
I believe in angels

          D   A
When I know the time is right for me.

          E7
I'll cross the stream,

      A
I have a dream.

          E7
I'll cross the stream,

         Asus4 A
I have a dream.__

Instrumental | A | E | A Asus4 | Asus4 A |

             | A | E | E | A   ‖

Verse 3   As Verse 1

Chorus 3   As Chorus 2

Outro   ‖: A | E | A Asus4 | Asus4 A |

             | A | E | E |

             | A Asus4 | Asus4 A :‖ *Repeat to fade*

I'm A Marionette

Words & Music by
Benny Andersson & Björn Ulvaeus

Intro   ‖: Em | Em | Em | Em :‖   *Play 3 times*

| Emadd9 | Emadd9 | Emadd9 | Emadd9 :‖

Verse 1

Emadd9
You're so free,

Em9/D
That's what everybody's telling me.

C
Yet, I feel I'm like an outward bound

D   **Em Emadd9**
Pushed around refugee.

Verse 2

Emadd9
Something's wrong,

Em9/D
Got a feeling that I don't belong.

C
As if I had come from out of space,

D   **Em**   **Emadd9**
Out of place, like King Kong.

Chorus 1

C(♭5)   F♯(♭5)
I'm a marionette, just a marionette,

C(♭5) E♭(♭5) C(♭5)
Pull   the   string.

C(♭5)   F♯(♭5)
I'm a marionette, everybody's pet,

C(♭5) E♭(♭5) C(♭5)   F♯(♭5)
Just as   long as I sing.

B♭(♭5)   E(♭5)
I'm a marionette, see my pirouette,

B♭(♭5)   D♭(♭5) B♭(♭5)
'Round and   'round.

B♭(♭5)   E(♭5)
I'm a marionette, I'm a marionette,

B♭(♭5) D♭(♭5) B♭(♭5)   E(♭5) | C(♭5) | B7♯5♭9 B7 |
Just a   silly old clown.

Verse 3

Emadd9
Like a doll,

                    Em9/D
Like a puppet with no will at all.

                   C
And somebody taught me how to talk,

D   Em   Emadd9
How to walk, how to fall.

Guitar Solo   ‖: Em F♯m/E | G/E F♯m/E | Em F♯m/E | G/E F♯m/E :‖   *Play 9 times*

Verse 4

Emadd9
Can't complain,

               Em9/D
I got no one but myself to blame.

                  C
Something's happening I can't control,

D   Em   Emadd9
Lost my hold, it's insane.

C(♭5)　　　　　　　**F♯(♭5)**
I'm a marionette, just a marionette,

C(♭5) E♭(♭5) C(♭5)
Pull　the　　string.

C(♭5)　　　　　　　**F♯(♭5)**
I'm a marionette, everybody's pet,

C(♭5) E♭(♭5) C(♭5)　　　**F♯(♭5)**
Just　as　　long as I sing.

B♭(♭5)　　　　　　　**E(♭5)**
I'm a marionette, see my pirouette,

B♭(♭5)　　**D♭(♭5) B♭(♭5)**
'Round and　'round.

B♭(♭5)　　　　　　　**E(♭5)**
I'm a marionette, I'm a marionette,

B♭(♭5) D♭(♭5) B♭(♭5)　　　**E(♭5)** | **C(♭5)**　　 | **B7♯5♭9 B7** |
Just　a　　silly old clown.

Verse 5

Emadd9
Look this way,

　　　　　　　　　　Em9/D
Just a little smile is what they say.

　　　　　　　　　　C
You'll look better on the photograph,

D　　　　　**Em**　　　　**Emadd9**
If you laugh, that's O.K.!

Chorus 3　　　As Chorus 1

Verse 6　　　As Verse 1

I've Been Waiting For You

Words & Music by
Benny Andersson, Björn Ulvaeus & Stig Anderson

Verse 1

A   E/G#
I, I've been in love before,

          F#m
I thought I would no more

        E6
Manage to hit the ceiling.

D   A/C#
Still, strange as it seems to be,

            B7sus4 B7
You brought it back to me,

       Bm7 E
That old feel - ing.

Verse 2

A   E/G#
I, I don't know what you do,

           F#m
You make me think that you

        E6
Possibly could release me.

D   A/C#
I think you'll be able to

            B7sus4 B7
Make all my dreams come true,

       Bm7 E
And you ease me.

Chorus 1

A
You thrill me, you delight me,

D
You please me, you excite me,

A   D
You're something I've been waiting for.

A
I love you, I adore you,

D
I lay my life before you,

A   D
I'll have you want me more and more.

Bm   Bm(maj7)
And finally it seems

   Bm7   E
My lonely days are through,

D   E   A
I've been waiting for you.

Link | B7sus4 B7 | Bm7   E   ‖

Verse 3

A   E/G♯
I, I'm gonna make you mine,

                         F♯m
You're gonna feel so fine,

                         E6
You'll never want to leave me.

D   A/C♯
I feel you belong to me,

                    B7sus4 B7
Someday you will agree,_____

        Bm7 E
Please, believe me.

Chorus 2

A
You thrill me, you delight me,

D
You please me, you excite me,

A   D
You're something I've been waiting for.

A
I love you, I adore you,

D
I lay my life before you,

A   D
I'll have you want me more and more.

Bm   Bm(maj⁷)
And finally it seems

        Bm⁷   E
My lonely days are through,

D   E   A
I've been waiting for you,

D   E   A
I've been waiting for you.

Outro

   A
‖: Na na na, na na na, na na na.

D
Na na na, na na na, na na na.

A   D
Na na na, na na na, na na na na. :‖ *Repeat to fade*

If It Wasn't For The Nights

Words & Music by
Benny Andersson & Björn Ulvaeus

Intro

| D | Bm7 E | C#m | C#m |

| D | D | Bm7 | Bm7 E |

| D/A A D/A | D/A A | D/A A D/A ||

Verse 1

D/A A D/A A   D/A
  I got appointments, work I have to do.

Bm/F# F# Bm Bm/A E
Keepin' me so busy all the day through.

         A   F#m
They're the things that keep me from thinkin' of you.

 Bm7   A/C#
Oh, baby I miss you so,

 D
I know I'm never gonna make it.

E   D/A A
Oh, I'm so rest-less,

   D/A
I don't care what I say

Bm/A F# Bm
And I lose my temper

Bm/A   E
Ten times a day.

     A   F#m
Still it's even worse when the night's on it's way,

   Bm7 D/E
It's bad, oh, so bad.

Chorus 1

    D   Bm7
Somehow I'd be doin' alright
                     D/A
If it wasn't for the nights.
      A   D/A   A
(If it wasn't for the nights I think that I_ could make it.)
    D   Bm7
I'd have courage left to fight
                     D/A
If it wasn't for the nights.
      A   D/A   A
(If it wasn't for the nights I think that I_ could take it.)
    D   Bm7   E
How I fear the time when shadows start to fall,
Bm7   D/E
Sittin' here alone and starin' at the wall
    D   Bm7
Even I could see a light
                     D/A
If it wasn't for the nights.
      A   D/A   A
(Even I_ could see a light, I think that I_ could make it.)
    D   Bm7
Somehow I'd be doin' alright
                     D/A
If it wasn't for the nights.
      A   D/A   A
(If it wasn't for the nights I think that I_ could take it.)

Link 1 | D | Bm7 E | C♯m | C♯m |

                 | D | D | Bm7 | Bm7 E |

                 | D/A A D/A | D/A   A | D/A A D/A ‖

Verse 2

    D/A A   D/A A   D/A
No one to turn to, you know how it is,

Bm/F♯ F♯   Bm   Bm/A   E
I was   not prepared for something like this.

                      A   F♯m
Now I see them clearly, the things that I miss,

  Bm7   A/C♯
Oh, baby, I feel so bad,

   D
I know I'm never gonna make it.

E   D/A A   D/A
I've got my busi-ness to help me through the day,

Bm/F♯ F♯   Bm
People I must write to,

Bm/A   E
Bills I must pay

                    A   F♯m
But everything's so different when night's on it's way,

   Bm7   D/E
It's bad, oh, so bad.

Chorus 2

D   Bm7
  Somehow I'd be doin' alright

           D/A
If it wasn't for the nights.

      A   D/A   A
(If it wasn't for the nights I think that I_ could make it)

D   Bm7
  I'd have courage left to fight

           D/A
If it wasn't for the nights.

      A   D/A   A
(If it wasn't for the nights I think that I_ could take it)

D   Bm7   E
  How I fear the time when shadows start to fall,

Bm7   D/E
  Sittin' here alone and starin' at the wall

D   Bm7
  Even I could see a light

           D/A
If it wasn't for the nights.

      A   D/A   A
(Even I_ could see a light, I think that I_ could make it)

D   Bm7
  Guess my future would look bright

           D/A
If it wasn't for the nights.

      A   D/A   A
(If it wasn't for the nights I think that I_ could make it)

Middle 1

        D   **Bm⁷**   **D/A**
        If it   wasn't for the nights.

                 A   **D/A**   **A**
        (If it wasn't for the nights I think that I_ could take it)

        D   **Bm⁷**   **D/A**
        If it   wasn't for the nights.

                 A   **D/A**   **A**
        (If it wasn't for the nights I think that I_ could make it)

Link 2 | **D** | **Bm⁷ E** | **C♯m** | **C♯m** ||

Chorus 3

        D   **Bm⁷**
        Even I could see a light,

                      D/A
        If it wasn't for the nights.

                 A   **D/A**   **A**
        (Even I_ could see a light, I think that I_ could make it)

        D   **Bm⁷**
        Guess my future would look bright

                      D/A
        If it wasn't for the nights.

                 A   **D/A**   **A**   **D**
        (If it wasn't for the nights I think that I_ could take it)

Link 3   As Link 2

Middle 2

        D   **Bm⁷**   **D/A**
        If it   wasn't for the nights.

                 A   **D/A**   **A**
        (If it wasn't for the nights I think that I_ could make it)

        D   **Bm⁷**   **D/A**
        If it   wasn't for the nights.

                 A   **D/A**   **A**
        (If it wasn't for the nights I think that I_ could take it)

Chorus 4   ‖: As Chorus 3 :‖   *Repeat to fade*

The King Has Lost His Crown

Words & Music by
Benny Andersson & Björn Ulvaeus

Intro

| G¹³ Am | Am Em | Am Am⁷ | Am⁷ D |

| G | G G/C C | G | E⁷♯⁵ |

| E⁷♯⁵ ‖ Am G Am | Am G Am | Am G Am |

| Am | Em | Em | D G/D | Am/D D ‖

Verse 1

       G   **Cmaj⁷**   **G C**
I believe your new girl turned you down,

D   **G**   **Cmaj⁷**   **G**
  And they say she's pushin' you around.

          D
How does it feel?

         D⁷   **G**
I guess it hurts your pride.

         D
Tell me, my friend,

       C   **B⁷sus⁴**
How many nights you've cried.

Chorus 1

```
        E                 Am    G  Am
     Disaster and disgrace,
                    G    Am       G  Am
     The king has lost his crown.
     C   D  G     C      Cm    G    E7#5 E7 Am  G
     Suddenly he's clumsy like a clown, aah.___
     Am            G        Am    G  Am
       The world is upside down,
                              Em
     The king has lost his crown.
```

Link

```
| Em    | Em    | Em    | Em       |

| Em      | D  G/D | Am/D  D ‖
```

Verse 2

```
          G    Cmaj7                  G    C
     Was it hard to step down from your throne,
     D        G     Cmaj7          G
       And to know tonight you're all alone.
                    D
     Oh, what a shame,
                  D7         G
     You really want that girl.
                  D
     She doesn't care,
                  C         B7sus4
     Still you just dream of her.
```

Chorus 2   As Chorus 1

Chorus 3

```
    ‖: E                 Am   G  Am
       Disaster and disgrace,
                    G   Am      G  Am
       The world is all a-round.
     C   D  G    C     Cm    G   E7#5 Am  G
     Suddenly he's clumsy like a clown, aah.
     Am           G   Am     G  Am
       The world is upside down,
                            Em
     The king has lost his crown. :‖   Repeat to fade
```

King Kong Song

Words & Music by
Benny Andersson & Björn Ulvaeus

Intro

| G | G | G | G |

| G C/G G | G C/G G | G C/G G | G C/G G ‖

Verse 1

          G   C/G   G   C/G G
Well, I was looking at a movie on the T.V. last night,

             C/G   G   C/G G   D   Dsus4 D
Then I had a very funny notion,__ yeah.

          Dsus4 D   Dsus4 D Dsus4 D
I really had to write a song about it

     G   C/G   G   C/G G
And then I'm gonna sing it with my rock'n roll band.

            C/G   G   C/G G   D   Dsus4 D
And I bet the people gonna like it,____ yeah,

          Dsus4 D   Dsus4 D
I know that every - body's gonna shout it.

Dsus4 D   N.C.   (A7)
       But what a dreadful mighty killer,

N.C.   (C)
A big black wild gorilla.

Chorus 1

        D
We do the King Kong song,

G
Won't you sing along?

Em   **A**
Listen to the music and it couldn't go wrong.

           D
We do the King Kong song,

G
Gotta sing along.

Em   **A**
Can't you hear the beating of the monkey tom-tom?

Em   **A**   **D**   **Dsus4 D**
Listen to the rhythm of the King Kong song.

| **D Dsus4 D** | **D Dsus4 D** | **D Dsus4 D** ‖

Verse 2

       D   **G/D**   **D**   **G/D**
Now we can make a jungle out of any old place,

D   **G/D**   **D**   **G/D D** **A** **D/A A**
We can make gorillas out of people,   yeah.

                                D/A A D/A A
Well, who can tell a monkey from a monkey?

      D   **G/D**   **D**   **G/D** **D**
So, people get together, gonna have a good time.

        G/D   **D**   **G/D D** **A** **D/A A**
Everybody listen to the music,   yeah,

                        D/A A
The song we're gonna sing is kinda funky.

D/A A   **N.C.**   **(E7)**
    So let your arms hang down

N.C.   **(G C)**
And waddle all around,

  N.C.   **(E7)**
Like a dreadful mighty killer,

N.C.   **(C)**
A big black wild gorilla.

Chorus 2   As Chorus 1

Link | D Dsus⁴ D | D Dsus⁴ D | D Dsus⁴ D | D Dsus⁴ D ‖

N.C.   (A7)
Like a dreadful mighty killer,

N.C.   (C)
A big black wild gorilla.

                        D
Chorus 3   We do the King Kong song,

                 G
                 Won't you sing along?

                 Em   A
                 Listen to the music and it couldn't go wrong.

                        D
                 We do the King Kong song,

                 G
                 Gotta sing along.

                 Em   A
                 Can't you hear the beating of the monkey tom-tom?

                 Em   A
                 Listen to the rhythm of the King Kong song.

                        D
Chorus 4   We do the King Kong song,

                 G
                 Won't you sing along?

                 Em   A
                 Listen to the music and it couldn't go wrong.

                        D
                 We do the King Kong song,

                 G
                 Gotta sing along.

                 Em   A
                 Can't you hear the beating of the monkey tom-tom?

                 Em   A   D   Dsus⁴ D
                 Listen to the rhythm of the King Kong song.

Outro   ‖: D Dsus⁴ D | D Dsus⁴ D | D Dsus⁴ D | D Dsus⁴ D :‖   *Repeat to fade*

Kisses Of Fire

Words & Music by
Benny Andersson & Björn Ulvaeus

Verse 1

      N.C.   F#m
Lay your head on my chest

          B/F#   F#m   B/F#
So you hear every beat of my heart.

                      F#m
Now there's nothing at all

          B/F#   C#
That can keep us apart.

C#m   A
  Touch my lips,

           F#m
Close your eyes

        B   G#m C#m
And see with your fingertips.

F#m   G#m
Things that you do

         A   B   Bsus4
And you know I'm crazy 'bout you.

Chorus 1

E   C#m
Kisses of fire, burning, burning,

A   B
I'm at the point of no returning.

E   C#m
Kisses of fire, sweet devotions,

A   B   G#m
Caught in a landslide of emotions.

cont.

C♯m   A
I've had my share of love affairs

                             E
And they were nothing compared to this,

B E   A
I'm_ riding higher than the sky

                   B
And there is fire in every kiss.

C♯m   B C♯m Am/C
Kisses of fire,   kisses of fire.

Link | F♯m | B/F♯ | F♯m7 |

Verse 2

B/F♯   F♯m
When you sleep by my side

        B/F♯   F♯m7
I feel safe and I know I belong.

B/F♯   F♯m
  Still, it's making me scared

        B/F♯   F♯m7
That my love is so strong.

   G♯m C♯m   A   B
Losing   you, it's a nightmare, babe,

          G♯m   C♯m
And to me, it's new.

F♯m   G♯m
Never before

        A   B Bsus4
Did you see me begging for more._

Chorus 2

E   C#m
Kisses of fire, burning, burning,

A   B
I'm at the point of no returning.

E   C#m
Kisses of fire, sweet devotions,

A   B   G#m
Caught in a landslide of emotions.

C#m   A
  I've had my share of love affairs

                        E
And they were nothing compared to this,

B E   A
I'm_ riding higher than the sky

               B
And there is fire in every kiss.

C#m   B C#m C7
Kisses of fire,   kisses of fire.

Chorus 3

    F   Dm
‖: Kisses of fire, burning, burning,

B♭   C
I'm at the point of no returning.

F   Dm
Kisses of fire, sweet devotions,

B♭   C
Caught in a landslide of emotions. :‖   *Repeat to fade*

Knowing Me, Knowing You

Words & Music by
Benny Andersson, Björn Ulvaeus & Stig Anderson

Intro | G Em⁷ | Em Bm | G A | A   ‖

Verse 1
D   Em⁷   Bm⁷   F♯m⁷
No more care-free laughter,

D   Em⁷   Bm⁷ F♯m⁷
Si - lence ever   after.

Bm
Walking through an empty house,

            Asus⁴ A Asus² A | Asus⁴ A Asus² A |
Tears in my eyes,

G
Here is where the story ends,

            Bsus² Bm
This is goodbye. _____

Chorus 1
            G   A
Knowing me,   knowing you,

                    D
There is nothing we can do.

            G   A
Knowing me,   knowing you,

                    D G   A
We just have to face it, this time we're through.

D   F♯m   G   A   D G A
  Breakin' up is never easy, I know but I have to go.

            D   Gmaj⁷
Knowing me, knowing you,

            A   D   Bm
It's the best I can do.

| F♯m | G   A | D Bm | F♯m | G   A | ‖

Verse 2

    D   Em7   Bm7   F#m7
Mem'ries, good days, bad days,

    D   Em7   Bm7 F#m7
They'll be with me always.

Bm
In these old familiar rooms

             Asus4 A Asus2 A | Asus4 A Asus2 A |
Children would play.

G
Now there's only emptiness,

          Bsus2 Bm
Nothing to say. _____

Chorus 2

          G   A
Knowing me, knowing you,

                D
There is nothing we can do.

          G   A
Knowing me, knowing you,

               D G   A
We just have to face it, this time we're through.

D   F#m   G   A   D G A
  Breakin' up is never easy, I know but I have to go.

          D   Gmaj7
Knowing me, knowing you,

       A   D Bm
It's the best I can do.

| F#m | G | A | D Bm | F#m | G | A | |

| Asus4 Bm | Bm | A Bm ||

Chorus 3

          G   A
Knowing me, knowing you,

                D
There is nothing we can do.

          G   A
Knowing me, knowing you,

               D G   A
We just have to face it, this time we're through.

D   F#m   G   A   D G A
  Breakin' up is never easy, I know but I have to go.

          D   Gmaj7
Knowing me, knowing you,

       A   D Bm
It's the best I can do.

                                      Repeat to fade

| F#m | G | A |: D Bm | F#m | G | A :|

85

Lay All Your Love On Me

Words & Music by
Benny Andersson & Björn Ulvaeus

Intro

‖: Dm A/C♯ | Dm A/C♯ Dm A7/E | B♭ | A |

| Dm C/E F | B♭6 C | F | F :‖

| Dm | Dm | Dm | Dm |

Verse 1

Dm
   I wasn't jealous before we met,

                   C
Now every woman I see is a potential threat.

Dm
   And I'm possessive, it isn't nice,

                      C
You've heard me saying that smoking was my only vice.

   Dm
But now it isn't true,

    A7/C♯
Now everything is new.

    Dm   A7/E
And all I've learned has overturned.

   F6   G
I beg of you:

Chorus 1

Dm   A/D Dm A/D Dm   A7/D B♭ A
Don't go   wasting your e - mo-tion,

Dm C/E F   B♭6 C   F
Lay all   your love on me.

Link 1 | **Dm** | **Dm**   ‖

Verse 2

Dm
  It was like shooting a sitting duck,

                    C
A little small talk, a smile and, baby, I was stuck.

Dm
  I still don't know what you've done with me,

                  C
A grown-up woman should never fall so easily.

  Dm
I feel a kind of fear,

    A7/C♯
When I don't have you near.

  Dm   **A7/E**
Unsatisfied, I skip my pride,

  F6   **G**
I beg you dear:

Chorus 2

Dm   A/D Dm A/D Dm   A7/D B♭ A
Don't go   wasting your e - mo-tion,

Dm C/E F   B♭6 C   F
Lay all   your love on me.

Dm   A/D Dm A/D Dm   A7/D B♭ A
Don't go   sharing your dev - o - tion,

Dm C/E F   B♭6 C   F
Lay all   your love on me.

Link 2 | **Dm** | **Dm** | **Dm** | **Dm**   ‖

Verse 3

Dm
  I've had a few little love affairs,

                                                   C
They didn't last very long and they've been pretty scarce.

Dm
  I used to think that was sensible,

                                     C
It makes the truth even more incomprehensible.

        Dm
'Cause everything is new,

      A7/C♯
And everything is you,

       Dm   A7/E
And all I've learned has overturned,

       F6   G
What can I do?

Chorus 3

  Dm   A/D Dm A/D Dm A7/D B♭ A
‖: Don't go   wasting your e - mo-tion,

Dm C/E F   B♭6 C F
Lay all   your love on me.

Dm   A/D Dm A/D Dm A7/D B♭ A
Don't go   sharing your dev - o - tion,

Dm C/E F   B♭6 C F
Lay all   your love on me. :‖   *Repeat to fade*

Lovelight

Words & Music by
Benny Andersson & Björn Ulvaeus

Intro | N.C. | N.C. C | C | C C⁹sus⁴ | C⁹sus⁴ ‖

Verse 1

     F
I've always hated my room,

It's so gloomy and dreary,

Always too dark,

                         G/F   **F**
For the windows just face the back yard.

        G/F F G C
So I_____ can't understand how it's happened,

               C⁹sus⁴
How everything's changing,

            F   **C/E**
This old dirty ceiling seems a little whiter.

         Dm
When you walked into the room

        C⁹sus⁴
It all got so much brighter.

Chorus 1

C⁹sus⁴   **B♭/F** **F**
You must have a love-light,

          B♭/F **F**
Everything around you is love-light.

           C
And I can feel your love anywhere,

B♭   **F**   **C**
Baby even when you're not there.

  B♭/F **F**
But love-light,

          B♭/F **F**
Everything around you is love-light.

           C
You're shining like a star in the night,

B♭   **F**   **C**
I won't let you out of my sight.

B♭   **F**
I don't wanna lose you,

B♭   **F**   **C**
I don't wanna lose your lovelight.

Link 1 | **C** | **C** | **C C⁹sus⁴** | **C⁹sus⁴** ‖

Verse 2

F
How I remember,

The first time we went to a movie,

We had decided

      G/F   **F**
To meet on a corner downtown.

    G/F **F** **G** **C**
And I_____ waited there when you came up from behind,

   C⁹sus⁴
Then you kissed me.

     F   **C/E**
And the traffic seemed to get a little lighter,

      Dm
When you came into my life

     C⁹sus⁴
It all got so much brighter.

Chorus 2   As Chorus 1

Link 2 | C | C | C | C   ‖

Middle

       F/C G/C C
And I feel so   good,

       F/C G/C C
And I feel so   fine,

       F/C   C   C^{9}sus^4 F
And I know that you must have a lovelight.

Chorus 3

       B♭/F F
You got love-light.

                    C
And I can feel your love anywhere,

B♭   F   C
Baby even when you're not there.

      B♭/F F
But love-light,

                   B♭/F F
Everything around you is love-light.

                    C
You're shining like a star in the night,

B♭   F   C
I won't let you out of my sight.

B♭   F
I don't wanna lose you,

B♭   F   C
I don't wanna lose your lovelight.   *To fade*

Lovers (Live A Little Longer)

Words & Music by
Benny Andersson & Björn Ulvaeus

| Bm | G | A | E | D | F♯m | F♯ | Bm7 |

Intro

| Bm | Bm | G A G A | A | |

| A Bm A Bm | Bm | Bm | Bm | |

| G | G | G A G A | A ||

| A Bm A Bm | Bm | Bm | Bm | |

| A Bm A Bm | Bm ||

Verse 1

Bm
Sit down and listen 'cause I got good news for you,

               E
It was in the papers today.

Bm
  Some physician had made a discovery,

            E
Guess what she had to say:

Bm   **D**
She said that every result she had backed her,

        G   **D**   **F♯m**
Claiming that love's a longevity factor, so....

Chorus 1

F#m
Lovers live a little longer, baby,

You and me we gotta chance to live twice.

Lovers live a little longer, ain't that nice?

Lovers live a little longer,baby,

What a feeling when I hold you tight,

Lovers live a little longer, yeah.

Link 1

| F#m | F#m | Bm | Bm | |

| G A G A | A | A Bm A Bm | Bm | |

| A Bm A Bm | Bm | ‖

Verse 2

Bm
I can imagine, I see you in my fantasy

              E
I'll enjoy every day.

Bm
  Makin' love is a dynamite drug, baby.

                 E
So why don't we star ride away,

Bm   D
  I don't care if they're watchin', 'cause listen,

        G   D   F#m
We've got a reason for each time we're kissin' 'cause....

Chorus 2   As Chorus1

Link 2 | F#m | F#m | F# | F# | ‖

Middle
Bm   D

I just don't care if they're watchin', 'cause listen,

                   G   D   F♯m

We've got a reason for each time we're kissin' 'cause....

Chorus 3
F♯m

Lovers live a little longer, baby,

You and me we gotta chance to live twice.

Lovers live a little longer, ain't that nice?

Lovers live a little longer,baby,

What a feeling when I hold you tight,

Lovers live a little longer, yeah.

Link 3 | F♯m | F♯m   ‖

Chorus 4
F♯m

Lovers live a little longer, baby,

You and me we gotta chance to live twice.

Lovers live a little longer, yeah.

Outro | F♯m | F♯m | Bm | Bm |

           | G A G A | A | A Bm A Bm | Bm⁷   ‖

Mamma Mia

Words & Music by
Benny Andersson, Björn Ulvaeus & Stig Anderson

Intro

‖: D | Daug | D | Daug :‖

Verse 1

D   A/D   D   G
I've been cheated by you since I don't know when,

D   A/D   D   G
So I made up my mind, it must come to an end.

D   Daug
Look at me now,   will I ever learn?

D   Daug   G
I don't know how,   but I suddenly lose control,

                  A6   A
There's a fire within _ my soul.

G   D   A
Just one look and I can hear a bell ring,

G   D   A
One more look and I forget everything, w-o-o-o-oh.

Chorus 1

D
     Mamma mia, here I go again,

G C G
     My, my, how can I resist you?

D
     Mamma mia, does it show again,

G C G
     My, my, just how much I've missed you?

D   A/C♯
     Yes, I've been broken hearted,

Bm   Bm/A
     Blue since the day we parted,

G C   G Em7   A
     Why, why did I ever let you go?

cont.

    D   **Bm**
Mamma mia,   now I really know,

G C   G   Em7   **A**
My, my, I could never let you go.

Link | **D** | **Daug** | **D** | **Daug** ‖

Verse 2

D   **A/D**   **D**   **G**
I've been angry and sad about things that you do,

D   **A/D**   **D**   **G**
I can't count all the times that I've told you we're through.

D   **Daug**
And when you go, when you slam the door,

D   **Daug**   **G**
I think you know that you won't be away too long,

                      A6   **A**
You know that I'm not that strong.

G   **D**   **A**
Just one look and I can hear a bell ring,

G   **D**   **A**
One more look and I forget ev'rything, w-o-o-o-oh.

Chorus 2

D
Mamma mia, here I go again,

G C   G
My, my, how can I resist you?

D
Mamma mia, does it show again,

G C   G
My, my, just how much I've missed you?

D   **A/C♯**
Yes, I've been broken hearted,

Bm   **Bm/A**
Blue since the day we parted,

G C   G   Em7   **A**
Why, why did I ever let you go?

D
Mamma mia, even if I say

G C   G
Bye-bye, leave me now or never.

D
Mamma mia, it's a game we play,

G C   G
Bye-bye doesn't mean forever.

	D
Chorus 3	Mamma mia, here I go again,
	G C G
	My, my, how can I resist you?
	D
	Mamma mia, does it show again,
	G C G
	My, my, just how much I've missed you?
	D A/C♯
	Yes, I've been broken hearted,
	Bm Bm/A
	Blue since the day we parted,
	G C G Em⁷ A
	Why, why did I ever let you go?
	D Bm
	Mamma mia, now I really know,
	G C G Em⁷ A
	My, my I could never let you go.

Outro   ‖: **D** | **D aug** | **D** | **D aug**   :‖   *Repeat to fade*

Me And I

Words & Music by
Benny Andersson & Björn Ulvaeus

Intro ‖: Bsus⁴ | Bsus⁴ | B | A/B :‖

‖: B/A A | B/A A | A B/A A | A :‖

Verse 1

    A
Sometimes when I'm mad

           D   E   F♯m
There's a part of me that seems to be a little sad.

    A
Sometimes when I scream,

           D   E   F♯m
There's a voice in me that says you shouldn't be so mean.

      E/G♯ A   E/B
Oh no,____ oh no,

    B   G♯m   C♯m   F♯
Part of me is acting while the other stands beside.

      B
Yes, I am to myself

      A/B
What Jekyll must have been to Hyde.

Chorus 1

E
We're like sun and rainy weather,

Sometimes we're a hit together,
B   A/B
Me and I.
E
Gloomy moods and inspiration,

We're a funny combination,
B   A/B
Me and I.
F♯m   B6
I don't think I'm different or in any way unique,
F♯m
Think about yourself for a minute
N.C.
And you'll find the answer in it,

Everyone's a freak.

Link   ‖: B/A A │ B/A A │ A B/A A │ A   :‖

A
Verse 2   Sometimes I have toyed
        D   E   F♯m
With ideas that I got from good old Dr. Freud,
A
Nothing new of course.
        D   E   F♯m
It may seem to you I try to break through open doors.
    E/G♯ A   E/B
Oh no,____ oh no,
    B   G♯m   C♯m   F♯
I_ just wanna say a lot of that applies to me
    B   A/B
'Cause it's an explanation to my split identity.

Chorus 2   As Chorus 1

Instrumental ‖: E   │ E   │ B   │ A/B :‖

          ‖: B/A A │ B/A A │ A B/A A │ A   :‖

	E
Chorus 3	We're like sun and rainy weather,

Sometimes we're a hit together,

B   **A/B**
Me and I.

E
Gloomy moods and inspiration,

We're a funny combination,

B   **A/B**
Me and I.

F#m   **B6**
I don't think I'm different or in any way unique,

F#m
Think about yourself for a minute

G#m7/D#
And you'll find the answer in it,

E   **C#**
Everyone's a freak.

	F#
Chorus 4	We're like sun and rainy weather,

Sometimes we're a hit together,

C#   **B/C#**
Me and I.

F#
Gloomy moods and inspiration,

We're a funny combination,

C#   **B/C#**
Me and I.

Outro	‖: C#/B B ｜ C#/B B ｜ B C#/B B ｜ B :‖

‖: B/A A ｜ B/A A ｜ A B/A A ｜ A :‖

‖: E ｜ E ｜ Esus4 ｜ Esus4 :‖　*Repeat to fade*

Money, Money, Money

Words & Music by
Benny Andersson & Björn Ulvaeus

Am   F7   Dm   E7aug   E7/G#   E7   Asus4   E7/A

G   F   B♭/F   G/F   F/E   B7/D#   B7   A7

F7   E   B♭m   C7   F7aug   E♭m   B♭7   G♭7

Intro | Am | F7 | Dm   E7aug   Am | Am || Am | Am |

Verse 1

Am
I work all night, I work all day
   E7/G#
To pay the bills I have to pay.
E7   Am
   Ain't it sad?

And still there never seems to be
   E7/G#
A single penny left for me,
E7   Am
   That's too bad.

Asus4   Am   E7/A   Am   G
In my   dreams I have a plan,
F   B♭/F   F   G/F   F
If I   got me a wealthy man
F/E   Dm
   I   wouldn't have to work at all,
   B7/D#   E7
I'd fool around and have a ball. ____

| E7 | E7 ||

Chorus 1

Am   B7
Money, money, money,
                   E7
Must be funny
   E7aug   Am
In a rich man's world.
                            B7
Money, money, money,
                   E7
Always sunny
   E7aug   Am
In a rich man's world.
   Dm   E7
Aha,   aha.
A7   Dm
  All the things I could do
F7 E Am
If I had a little money,
Dm   E7aug   Am | F7 |
  It's a rich man's world.
Dm   E7aug   Am | Am ||
  It's a rich man's world.

Verse 2

Am
A man like that is hard to find,
   E7/G#
But I can't get him off my mind.
E7   Am
  Ain't it sad?

And if he happens to be free
   E7/G#
I bet he wouldn't fancy me,
E7   Am
  That's too bad.
   Asus4 Am   E7/A   Am G
So I must leave, I'll have to go
F Bb/F   F   G/F F
  To Las Vegas or Monaco,
F/E   Dm
  And win a fortune in a game,
   B7/D#   E7
My life would never be the same.

  | E7 | E7 ||

Chorus 2

Am   B7
Money, money, money,

                  E7
Must be funny

    E7aug   Am
In a rich man's world.

                              B7
Money, money, money,

                  E7
Always sunny

    E7aug   Am
In a rich man's world.

   Dm E7
Aha, aha.

A7   Dm
  All the things I could do

F7 E Am
If I had a little money,

Dm   E7aug   Am | F7 ||
  It's a rich man's world.

Chorus 3

B♭m   C7
Money, money, money,

                  F7
Must be funny

    F7aug   B♭m
In a rich man's world.

                              C7
Money, money, money,

                  F7
Always sunny

    F7aug   B♭m
In a rich man's world.

   E♭m F7
Aha, aha.

B♭7   E♭m
  All the things I could do

G♭7 F B♭m
If I   had a little money,

E♭m   F7aug   B♭m | G♭7 |
  It's a rich man's world.

E♭m   F7aug   B♭m
  It's a rich man's world.

Move On

Words & Music by
Benny Andersson, Björn Ulvaeus & Stig Anderson

Capo third fret

Intro

| C | G/B | Am | Em |

| C | G/B | Am | D |

| G Gsus⁴ | G Gsus⁴ ‖

Verse 1

G   Cmaj⁷ C⁶
They say a restless body

       Dsus⁴ D   Dsus²   D G Gsus⁴
Can hide a   peaceful soul.

G   Cmaj⁷ C⁶
  A voyager and a settler,

       Dsus⁴ D   Dsus²   D   G Gsus⁴
They both   have a distant   goal.

G   Csus²/♯11 D
  If I explore the hea   -   vens

        D
Or if I search inside.

G   Cmaj⁷ C⁶
  Well, it really doesn't matter

               Dsus⁴ D   Dsus²
As long as I can tell my - self,

       D   Dsus⁴ D Dsus² D Dsus⁴ D Dsus² D G
I've always   tried.

Chorus 1

D   G   G/B   C
Like a roller in the ocean,

                 G
Life is motion, move on,

                      D
Like a wind that's always blowing,

    Am   Em
Life is flowing, move on.

              G   C
Like the sunrise in the morning,

              G
Life is dawning, move on.

                D
How I treasure every minute

    Am   Bm
Being part of, being in it

         D   G Gsus4 G Gsus4
With the urge to move on.

Verse 2

G   Cmaj7 C6
  I've travelled every count - ry,

   Dsus4 D   Dsus2 D G   Gsus4
I've tra - velled in   my mind.

G   Cmaj7 C6
  It seems we're on a jour - ney,

   Dsus4 D   Dsus2 D G   Gsus4
A trip   through space and time.

G   Csus2/#11 C
  And somewhere lies the ans - wer

  D   G
To all the questions why.

                 Cmaj7 C6
What really makes the diffe - rence

   Dsus4 D Dsus2 D   Dsus4 D   Dsus2
Between all dead   and liv - ing things,

D   Dsus4 D Dsus2 D G
The will   to stay a - live.

Chorus 2

D   G   G/B   C
Like a roller in the ocean,

             G
Life is motion, move on,

                         D
Like a wind that's always blowing,

    Am   Em
Life is flowing, move on.

            G   C
Like the sunrise in the morning,

             G
Life is dawning, move on.

                 D
How I treasure every minute

    Am   Bm
Being part of, being in it

        D   C G/B
With the urge to move on.___

Instrumental | Am | Em | C | G/B |

               | Am | D | G Gsus4 | G Gsus4 ‖

Verse 3

G   Cmaj7 C6
   The morning breeze that rip -   ples,

     Dsus4 D   Dsus2 D   G   Gsus4
The sur -   face of   the sea.

G   Cmaj7 C6
   The crying of the sea -   gulls

     Dsus4 D Dsus2 D   G   Gsus4
That hov -   er o -   ver me.

G   Csus2/♯11 C
   I see it and I hear   it

      D   G
But how can I explain?

                 Cmaj7 C6
The wonder of the mo -   ment,

    Dsus4 D Dsus2 D Dsus4 D   Dsus2
To be   a - live,   to feel   the sun

D   Dsus4 D   Dsus2 D G
   That fol -   lows eve - ry rain.

106

Chorus 3

D   G   G/B C
Like a roller in the ocean,

              G
Life is motion, move on,

                  D
Like a wind that's always blowing,

      Am   Em
Life is flowing, move on.

           G   C
Like the sunrise in the morning,

             G
Life is dawning, move on.

            D
How I treasure every minute

    Am   Dsus4
Being part of, being in it

       D   G   (C)
With the urge to move on.

Outro

‖: C	C	G	G	
D	Am	Em	Em G	
C	C	G	G	
D	Am	Dsus4	D G :‖	*Repeat to fade with ad lib vocals*

My Mama Said

Words & Music by
Benny Andersson & Björn Ulvaeus

Dm   A/C♯   C6   E7/B   A   Ddim   Dm/A

A7   B♭maj7   Gm6   A7♯5   A9   B♭   C

Intro

| Dm | A/C♯ | C6 E7/B |

| A | A | A ‖

Verse 1

Dm   Ddim
Tried to sneak out without saying,

A   Dm
With my loudest record playing.

      A   Dm/A   A
Ooh, my mama said, "Look at this, you haven't done your bed."

A7   Dm/A   A
My mama said, "That's a thing that you should do instead."

Verse 2

Dm   Ddim
Then I did what she had told me,

A   Dm
Dying for my friend to hold me.

      A   Dm/A   A
Ooh, my mama said, "Try and get one thing into your head."

A7   Dm/A   A
My mama said, "Pa and me, we give you room and bed."

          Dm
How I wanna live my life,

B♭maj7
Wanna live my life,

Gm6   A7♯5 Dm
La la la, la la la, life.

Link 1 | **(Dm)** | **A/C♯** | **C6 E7/B** |

| **A** | **A** | **A** ‖

Verse 3

Dm   **Ddim**
In the morning she said, "Listen,"

A   **Dm**
Ooh, I felt like in a prison.

    A   **Dm/A**   **A**
Yeah, my mama said, "I know you've been out again with Fred."

A7   **Dm/A**   **A**
My mama said, "Don't you lie, your cheeks are blushing red."

    Dm
Oh, I wanna live my life,

B♭maj7
Wanna live my life,

Gm6   **A7♯5 Dm**
La la la, la la la, life.

Link 2 | **(Dm)** | **A/C♯** | **C6 E7/B** | **A** ‖

Gtr Solo ‖: **A9 A7** | **A9 A7** | **A9 A7** | **A9 A7** :‖ **A** | **A** ‖

Verse 4

Dm   **Ddim**
I said, "I can't live without it,

A   **Dm**
How I wish you wouldn't doubt it."

    A   **Dm/A**   **A**
Ooh, my mama said, "If you wanna hurt me go ahead."

A7   **Dm/A**   **A**
My mama said, "I suppose you'd rather see me dead?"

    Dm
Oh, I wanna live my life,

B♭maj7
Wanna live my life,

‖: **Gm6**   **A7♯5**   **Dm**
  La la la, la la la, life.

B♭   **C**   **Dm**
La la la, la la la, life. :‖ *Repeat to fade*

My Love, My Life

Words & Music by
Benny Andersson, Björn Ulvaeus & Stig Anderson

Intro

Cadd9/#11 C
Ah,   ah.

Cadd9/#11 C
Ah,   ah.

Verse 1

C   Gmaj7/B G7/B
I've seen it on your face,

C   F/C C   F/C C F6   D7/F# G
Tells me more than an - y worn-out old   phrase,

G#dim Am   D7/F#   G   Em
So_____ now we'll go separate ways.

Am   D7   G Em
Never again we two,__

Am   Am/G   D7sus4 D7 G G7 G6
Never again, nothing I   can do._____

Chorus 1

G   G7   G6   G
  Like an image passing by,

G7/B   C
My love, my life.

F6 D7/F#   G
In the mirror of your eyes,

G7   C
My love, my life.

D7/F#
I can see it all so clearly,

D7   Gmaj7 Em
Answer me sincerely,

Am   Am/G D7/F#   G
"Was it a_ dream, a lie?"

      G7   G6   G
Like reflections of your mind,

     G7/B   C
My love, my life,

           F6   D7/F♯ G
Are the words you try to find,

     G7   C
My love, my life.

    C/E   F
But I know I don't possess you,

   G7   C/E
So go away, God bless you.

C   F   E   Am
You are still my love and my life,

F   C
Still my one and only.

Verse 2

  C   Gmaj7/B G7/B
  I've watched you look away,

C   F/C C F/C C F6   D7/F♯ G
  Tell me, "Is it real-ly so hard to   say?"

G♯dim Am   D7/F♯   G   Em
Oh,   this has been my longest day,

Am   Am/G D7   G Em
Sitting here   close to you,__

Am   Am/G   D7sus4 D7   G G7 G6 G
Knowing that maybe, tonight,   we're through.___

G   G7   G6   G
Like an image passing by,

   G7/B   C
My love, my life.

        F6   D7/F♯   G
In the mirror of your eyes,

    G7   C
My love, my life.

            D7/F♯
I can see it all so clearly,

D7   Gmaj7   Em
Answer me sincerely,

Am   Am/G   D7/F♯   G
"Was it a_   dream, a lie?"

      G7   G6   G
Like reflections of your mind,

   G7/B   C
My love, my life,

         F6   D7/F♯ G
Are the words you try to find,

    G7   C
My love, my life.

    C/E   F
But I know I don't possess you,

   G7   C/E
So go away, God bless you.

C   F   E   Am
You are still my love and my life.

      C   F
Yes, I know I don't possess you,

   G7   C
So go away, God bless you.

         F   E   Am
You are still my love and my life,

F   C
Still my one and only.

The Name Of The Game

Words & Music by
Benny Andersson, Björn Ulvaeus & Stig Anderson

Capo fourth fret

Intro | Dm | Am | Dm | Am | Dm | Am | Dm G | G ||

Verse 1
     Dm   Am Dm   Am
I've seen you twice, in a short time,

     Dm   Am   Dm G
Only a week since we start - ed.

     Dm   Am Dm   Am
It seems to me,   for ev'ry time,

     Dm   Am   Dm G
I'm getting more open-heart - ed.

     Dm   G/B
   I was an impossible case,

     Am   B♭maj7
   No-one ever could reach me,

     Dm   G/B
   But I think I can see in your face

     Am   B♭maj7
   There's a lot you can teach me.

      Gm7   C11
So I wanna know…

Chorus 1
                        F
What's the name of the game?

     B♭   C   C/B♭ F | B♭ | C |
   Does it mean anything to you?

     B♭   F
   What's the name of the game?

     B♭   C   C/B♭ F
   Can you feel it the way I do?

   A   Dm   G/B   C
Tell me please, 'cause I have to know,

        A   Dm G/B   C¹¹
I'm a bashful child, beginning to grow.

        F   B♭/F
And you make me talk, and you make me feel,

        F   B♭ E♭/B♭ B♭
And you make me show what I'm try - ing   to conceal.

      F   B♭/F
If I trust in you, would you let me down?

        F   Dm   Em⁷ A⁷
Would you laugh at me, if I said I care for you?

       B♭maj⁷
Could you feel the same way too?

 Gm⁷   C¹¹
I wanna know…

              Dm | Am | Dm | Am |
The name of the game.

| Dm | Am | Dm   G | G ||

Verse 2

Dm   Am Dm   Am
I have no friends, no-one to see,

Dm   Am   Dm G
And I am never invi - ted.

Dm   Am Dm   Am
Now I am here,   talking to you,

Dm   Am   Dm G
No wonder I — get exci - ted.

Dm   G/B
  Your smile, and the sound of your voice,

Am   B♭maj⁷
  And the way you see through me,

Dm   G/B
  Got a feeling, you gimme no choice,

Am   B♭maj⁷
  But it means a lot to me.

   Gm⁷   C¹¹
So I wanna know…

Chorus 2

                    F
What's the name of the game?

B♭   C   C/B♭ F | B♭ | C |
  Does it mean anything to you?

B♭   F
What's the name of the game?

B♭   C   C/B♭ F
  Can you feel it the way I do?

     A   **Dm**   **G/B**   **C**
Tell me please, 'cause I have to know,

       A   **Dm** **G/B**   **C¹¹**
I'm a bashful child, beginning to grow.

           F   **B♭/F**
And you make me talk, and you make me feel,

           F   **B♭**   **E♭/B♭** **B♭**
And you make me show what I'm try - ing   to conceal.

      F   **B♭/F**
If I trust in you, would you let me down?

           F   **Dm**   **Em⁷** **A⁷**
Would you laugh at me, if I said I care for you?

         B♭maj⁷
Could you feel the same way too?

  Gm⁷   **C¹¹**
I wanna know…

        Gm⁷   **C¹¹**
Oh yes, I wanna know…

                        F

Outro   The name of the game.

             B♭
‖: (I was an impossible case,)

        C   **C/B♭**   **F**
Does it mean anything to you?

             B♭
(But I think I can see in your face,

  C   **B♭**
   And it means that I love you.)

               F
What's the name of the game?

           B♭
(Your smile and the sound of your voice,)

        C   **C/B♭** **F**
Can you feel it the way I   do?

             B♭
(Got a feeling you give me no choice,

  C   **B♭**
   But it means that I love you.)

                 F
What's the name of the game? :‖ *Repeat to fade*

Nina, Pretty Ballerina

Words & Music by
Benny Andersson & Björn Ulvaeus

Intro | C | C#dim | Dm7 | G7 G5 F#5 G5 F#5 G5 ‖

Verse 1
      (G5) C
Every day in the morning on her way to the office
      F   **C**
You can see her as she catches a train,
     F   **C**
Just a face among a million faces,
                G
Just another woman with no name.
   C
Not the girl you'd remember

But she's still something special,
    F   **C**
If you knew her I am sure you'd agree.
     F   **C**
'Cause I know she's got a little secret,
           C#dim G7
Friday evening she turns out to be....

Chorus 1
 C
Nina, pretty ballerina,
     G7
Now she is the queen of the dancing floor.

This is the moment she's waiting for,
   C
Just like Cinderella.

cont.   Nina, pretty ballerina,
                         G7
           Who would ever think she could be this way?

           This is the part that she likes to play
                             C   **G7**
           But she knows the fun would go away
                         C   **C♯dim G7 G5 F♯5 G5 F♯5 G5**
           If she would play it every day.

              (G5)   **C**
Verse 2 So she's back every morning to her work at the office
                    F   **C**
           And another week to live in a dream,
                    F   **C**
           And another row of early mornings
                                           G
           In an almost never-ending stream.
                       C
           Doesn't talk very often,

           Kind of shy and uncertain.
                       F   **C**
           Everybody seems to think she's a bore
                       F   **C**
           But they wouldn't know her little secret,
                                       C♯dim   **G7**
           What her Friday night would have in store;

                       C
Chorus 2 ‖: Nina, pretty ballerina,
                         G7
           Now she is the queen of the dancing floor.

           This is the moment she's waiting for,
                             C
           Just like Cinderella.

           Nina, pretty ballerina,
                         G7
           Who would ever think she could be this way?

           This is the part that she likes to play,
                             C   **C♯dim G7**
           She would like to play it every day. :‖   *Repeat to fade*

                                                        117

On And On And On

Words & Music by
Benny Andersson & Björn Ulvaeus

Intro

C	C	C	C
F7	F7	C7	C7
C7	C7	C7	C7
F7	F7	C7	C7

Verse 1

C   B♭   C
I was at a party and this feller said to me,

                              B♭   C
"Something bad is happening, I'm sure you do agree.

             Fsus4   F   Fsus4   F   C
People care for nothing, no respect for human rights,

B♭   C   B♭   F
Evil times are coming, we are in for darker nights."

| C | C | |

Verse 2

C   B♭   C
I said, "Who are you to talk about impending doom?"

                       B♭   C
He got kinda wary as he looked around the room.

             Fsus4   F   Fsus4   F   C
He said, "I'm a minis - ter, a big shot in the state."

B♭   C   B♭   F
I said, "I just can't believe it, boy, I think it's great!

   C   Fsus4   F   Fsus4   F   C
Brother can you tell me what is right and what is wrong?"

B♭   C   B♭   F
He said, "Keep on rocking baby, 'til the night is gone."

Chorus 1

C7
On and on and on,

Keep on rocking baby

'Til the night is gone.

F7
On and on and on,

C7
'Til the night is gone.

On and on and on,

Keep on rocking baby

'Til the night is gone.

F7
On and on and on,

C7
'Til the night is gone.

Verse 3

C   B♭   C
Over in the corner I could see this other guy,

                           B♭   C
He was kinda flirty, he was giving me the eye.

             Fsus4 F   Fsus4 F   C
So I took advantage of the fact that I'm a star,

B♭   C   B♭   F
Shook my hair and took a casual stroll up to the bar.

‖ C | C   ‖

Verse 4

C   B♭   C
And as sure as hell this guy was coming up to me,

                                 B♭   C
He said, "Who am I and who are you and who are we?

                    Fsus4 F   Fsus4   F   C
"What's our situation, do we have some time for us?"

B♭   C   B♭   F
I said, "I was not exactly waiting for the bus"

  C   Fsus4 F   Fsus4 F   C
He said, "If you're going somewhere can I come along?"

B♭   C   B♭   F
I said, "Keep on rocking baby 'til the night is gone."

Chorus 2   As Chorus 1

Instrumental | C7 | C7 | C7 | C7 |

                | F7 | F7 | C7 | C7   ‖

Chorus 3   C7
              ‖: On and on and on,

                 Keep on rocking baby

                 'Til the night is gone.
                 F7
                 On and on and on,
                 C7
                 'Til the night is gone.

                 On and on and on,

                 Keep on rocking baby

                 'Til the night is gone.
                 F7
                 On and on and on,
                 C7
                 'Til the night is gone. :‖   *Repeat to fade*

One Man, One Woman

Words & Music by
Benny Andersson & Björn Ulvaeus

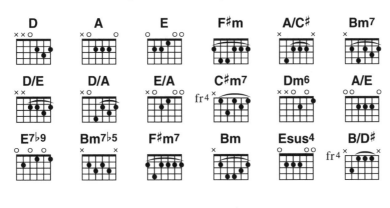

Intro
| D   A   E | F♯m   D   A/C♯ |

| Bm7   A/C♯   D   D/E | D/A   E/A   E ‖

Verse 1

A
No smiles, not a single word

C♯m7
At the breakfast table.

D   **Dm6**   **A/E Dm6 E7♭9**
Though I would have liked to begin,

A
So much that I wanna say,

C♯m7
But I feel unable.

D   **Dm6**
You leave and you slam the door

A   **Bm7♭5**
Like you've done many times before

A/C♯   **F♯m7**   **Bm A/C♯ D   E**
And I cry and I feel so   helpless.

Chorus 1

A   **E**
One man, one woman,

D   **A**
Two friends and two true lovers.

D   **A**
Somehow we'll help each other

F♯m   **Esus4 E**
Through the hard times.___

cont.

    A   E
One man, one woman,

D   A
One life to live together.

D   A
One chance to take

        E   F#m E
That never comes back again,

D   B/D# D/E   E D/A E/A E
You and me   to the end.__

Verse 2

A
Outside I can see the sun

       C#m7
Through the open window.

D   Dm6   A/E Dm6 E7♭9
Inside everything feels so cold

A
What's wrong, what is happening?

       C#m7
Where did all our love go?

D   Dm6
Sometimes when I just can't cope,

A   Bm7♭5
I cling to a desperate hope

A/C#   F#m7   Bm A/C# D E
And I cry and I feel like   crying.

Chorus 2

A   E
One man, one woman,

D   A
Two friends and two true lovers.

D   A
Somehow we'll help each other

F#m   Esus4 E
Through the hard times.___

A   E
One man,   one woman,

D   A
One life to live together.

D   A
One chance to take

        E   F#m E
That never comes back again,

D   B/D# D/E   E (D A)
You and me   to the end.__

Instrumental ‖: D   A   E | F♯m   D   A/C♯ |

| Bm7   A/C♯   D   D/E | D/A   E/A   E :‖

Verse 3

A
Daydreams of a better life
    C♯m7
But I have to wake up.
D   Dm6   A/E Dm6 E7♭9
  The sound of a key in the door,
A
  You smile and I realise
       C♯m7
That we need a shake-up.
D   Dm6
  Our love is a precious thing,
A   Bm7♭5
  Worth the pain and the suffering
A   F♯m7   Bm A/C♯ D   E
And it's never too late for   changing.

Chorus 3

A   E
  One man, one woman,
D   A
  Two friends and two true lovers.
D   A
  Somehow we'll help each other
F♯m   Esus4 E
Through the hard times.___
A   E
  One man,   one woman,
D   A
  One life to live together.
D   A
  One chance to take
          E   F♯m E
That never comes back again,
D   B/D♯ D/E   E D A/C♯
You and me   to the end._____
Bm7   A/C♯ D   Esus4
You and me   to the end._____

Outro ‖: A | E | D | A |

| D | A | F♯m | E :‖   *Repeat to fade*

123

One Of Us

Words & Music by
Benny Andersson & Björn Ulvaeus

Intro
| G | G | G G/F♯ | Em G/D | C E7 | Am |
| A7/C♯ | G/D G | Am/D | D | G | G ||

Verse 1

G   Gmaj7
  They passed me by,

Bm   Esus4 Em/D
All of those great roman - ces.

C   Bm
  You were, I felt,

             D/C   C   Dsus4   D
Robbing me of my rightful chan - - ces.

G   Gmaj7
  My picture clear,

Bm   Emsus4 Em/D
Everything seemed so ea - - sy,

C   Bm
  And so I dealt you the blow,

      Em
One of us had to go,

Am
Now it's diff'rent,

Am/G   D
I want you to know.

               G
One of us is cryin',

G/F♯   **Em**
One of us is lyin'

Em/D   **C** **E7**   **Am**
In her lonely bed, ___

A   **D**
Staring at the ceiling,

C   **D**   **G** **Em** **C**
Wishing she was somewhere else instead. _____

D   **G**
One of us is lonely,

G/F♯   **Em**
One of us is only

Em/D   **C**   **E7**
Waiting for a call. ___

Am   **A7/C♯**
  Sorry for herself,

         G/D
Feeling stupid, feeling small,

Am/D   **D**
Wishing she had never left at all.

G   **Gmaj7**
  I saw myself

Bm   **Esus4** **Em/D**
As a concealed attrac - tion,

C   **Bm**   **D/C**
  I felt you kept me away

         C   **Dsus4** **D**
From the heat and the ac - tion.

G   **Gmaj7**
  Just like a child,

Bm   **Esus4**   **Em/D**
Stubborn and misconceiv - ing,

C   **Bm**
  That's how I started the show,

         Em
One of us had to go.

Am
Now I've changed

     Am/G   **D**
And I want you to know.

Chorus 2

                G
One of us is cryin',

G/F♯   **Em**
One of us is lyin'

Em/D   **C** **E7**   **Am**
In her lonely bed, ___

A   **D**
Staring at the ceiling,

C   **D**   **G** **Em** **C**
Wishing she was somewhere else instead. _____

D   **G**
One of us is lonely,

G/F♯   **Em**
One of us is only

Em/D   **C**   **E7**
Waiting for a call. ___

Am   **A7/C♯**
  Sorry for herself,

          G/D
Feeling stupid, feeling small,

Am/D   **D**
Wishing she had never left at all.

            G **G/F♯**
Never left at all. ___

Outro

| **Em** **Em/D** | **C**   **E7** | |

Am **A**   **D**
    Staring at the ceiling,

C   **D**   **G** **Em** **C**
Wishing she was somewhere else instead. _____

D   **G**
One of us is lonely,

G/F♯   **Em**
One of us is only

Em/D   **C**   **E7**
Waiting for a call. ___

Am   **A7/C♯**
  Sorry for herself,

          G/D
Feeling stupid, feeling small,

Am/D   **D**
Wishing she had never left at all. *Fade out*

Our Last Summer

Words & Music by
Benny Andersson & Björn Ulvaeus

Verse 1

        D   **D/C♯**   **Bm7**
The summer air was soft and warm,

        D/A   **G**
The feeling right, the Paris night

D/F♯   **Em**   **Em/D**
Did it's best to please us.

A   **E/G♯**   **F♯m11** **E**
  And strolling down the Elysée

A   **A/G**   **D/F♯**
  We had a drink in each café.

A7/E **D** **D/C♯**   **Bm7**   **D/A**
And you, you talked of politics, philosophy,

     G **D/F♯**   **G6**   **A**
And I   smiled like Mona Lisa.

Em7   **Em6**
We had our chance,

Em(♭6)   **Em**   **Asus4** **A** **Asus2**
  It was a fine and true romance._____

Chorus 1

A   **D** **F♯m** **Gadd9**
I can still recall our last summer.

A   **D** **F♯m** **Gadd9**
I still see it all,_____

A   **D**   **F♯7**   **Bm**
Walks along the Seine, laughing in the rain.

F♯m/A **Gadd9** **A7**   **Dsus4**
Our last summer, memories that remain.

Verse 2

D   D/C♯   Bm⁷
We made our way along the river
           D/A   G   D/F♯   Em Em/D
And we sat down in the grass by the Eiffel tower.
A   E/G♯   F♯m¹¹ E
I was so happy we had met,
A   A/G   D/F♯ A⁷/E D   D/C♯
It was the age of no regret, oh,   yes.
Bm⁷   D/A   G   D/F♯   G⁶   A
Those crazy years, that was the time of the flower-power.
Em⁷   Em⁶ Em(♭6)   Em
But underneath   we had a fear of flying,
Em⁷   Em⁶ Em(♭6)   Em
Of getting old,   a fear of slowly dying.
Em⁷   Em⁶
We took the chance,
Em(♭6)   Em   Asus⁴ A Asus²
Like we were dancing our last dance._____

Chorus 2

A   D F♯m   Gadd⁹
I can still recall our last summer.
A   D F♯m Gadd⁹
I still see it all,_____
A   D   F♯⁷   Bm
In the tourist jam, round the Notre Dame.
F♯m/A Gadd⁹   A⁷   Dsus⁴ D Dsus²
Our last summer, walking hand in hand._____

Chorus 3

A   D   F♯m   Gadd⁹
Paris restaurants, our last summer.
A   D F♯m Gadd⁹
Morning croissants,_____
A   D   F♯⁷   Bm
Living for the day, worries far away.
F♯m/A Gadd⁹   A⁷   Dsus⁴
Our last summer, we could laugh and play.

Guitar Solo

G	D/F♯	A⁷/E	F♯⁷	
G A/G D		A	D⁷	
G	D/F♯	A⁷/E	F♯⁷	
G	D	A⁷sus⁴	A⁷	‖

128

Verse 3

D   **D/C♯**   **Bm7**
And now you're working in a bank.

         D/A   **G**
A family man, a football fan,

D/F♯   **Em Em/D**
And your name is Harry.

A
   How dull it seems,

E   **A**   **A7**
   Yet, you're the hero of my dreams.

Chorus 4

A   **D**   **F♯m**   **Gadd9**
I can still recall our last summer.

A   **D**   **F♯m Gadd9**
I still see it all,_____

A   **D**   **F♯7**   **Bm**
Walks along the Seine, laughing in the rain.

F♯m/A   **Gadd9**   **A7**   **Dsus4 D Dsus2**
Our last summer, memories that remain.

Chorus 5

A   **D**   **F♯m**   **Gadd9**
I can still recall our last summer.

A   **D**   **F♯m Gadd9**
I still see it all,_____

A   **D**   **F♯7**   **Bm**
In the tourist jam, 'round the Notre Dame.

F♯m/A   **Gadd9**   **A7**   **Dsus4 D Dsus2**
Our last summer, walking hand in hand._____

Chorus 6

A   **D**   **F♯m**   **Gadd9**
Paris restaurants, our last summer.

A   **D F♯m Gadd9**
Morning croissants,_____

A   **D**   **F♯7**   **Bm**
Living for the day, worries far away.

F♯m/A   **Gadd9**   **A7**   **Dsus4**
Our last summer, we could laugh and play.   *To fade*

People Need Love

Words & Music by
Benny Andersson & Björn Ulvaeus

Chorus 1

     B   **B/D♯**   **E**
People need hope, people need loving,

     F♯   **F♯/A♯** **B**
People need trust from a fellow man.

                B/D♯   **E**
People need love to make a good living,

     F♯   **F♯/A♯** **B**
People need faith in a helping hand.

Verse 1

     B   **B/D♯**   **E**   **E/G♯**
Man has always wanted a woman by his side

      F♯   **F♯/A♯**   **B**
To keep him company._

              B/D♯   **E**
Women always knew that it takes a man

     E/G♯ **F♯**   **B**   **F♯**
To get matrimonial harmony._

     B   **B/D♯**   **E**   **E/G♯**
Everybody knows that a man who's feeling down

      F♯   **F♯/A♯**   **B**
Wants some female sympathy._

          B7/D♯   **E**
Gotta have love to carry on living,

     F♯   **F♯/A♯** **B**
Gotta have love 'til eterni - ty.

Chorus 2

       B   **B/D♯**   **E**
People need hope, people need loving,
      F♯   **F♯/A♯ B**
People need trust from a fellow man.
              B/D♯   **E**
People need love to make a good living,
       F♯   **F♯/A♯** **B**
People need faith in a helping hand.
     B B/D♯ **E**
La la la la, la la la la la,
       F♯   **F♯/A♯** **B**
La la la la la la la la la la.
       B/D♯ **E**
La la la la, la la la la la,
       F♯   **F♯/A♯** **B**
La la la la, la la la la la la.

Verse 2

    B   **B/D♯**   **E**   **E/G♯**
Flowers in the desert need a drop of rain
     F♯   **F♯/A♯** **B**
Like a woman needs her man.
       B/D♯   **E**   **E/G♯**
If a man's in love and his woman wants the moon,
      F♯   **B**   **F♯**
Then he'll take it down if he can.
 B   **B/D♯**   **E**   **E/G♯**
Somebody who loves you and somebody who cares,
    F♯   **F♯/A♯ B**
Isn't that what you call a friend?
          B7/D♯ **E**
Gotta have love to carry on living,
    F♯   **F♯/A♯ B**
Isn't it easy to under-stand?

Chorus 3   As Chorus 2

Chorus 4

            C♯   **C♯/F**   **F♯**
‖: People need hope, people need loving,
       G♯   **G♯/C** **C♯**
People need trust from a fellow man.
          C♯/F   **F♯**
People need love to make a good living,
       G♯   **G♯/C**   **C♯**
People need faith in a helping hand.
     C♯ C♯/F **F♯**   **G♯**   **G♯/C** **C♯**
La la la la, la la la la la, la la la la, la la la la la.
     C♯ C♯/F **F♯**   **G♯**   **G♯/C** **C♯**
La la la la, la la la la la, la la la la, la la la la la. :‖ *Repeat to fade*

131

Ring Ring

Words & Music by
Benny Andersson, Björn Ulvaeus, Stig Anderson, Neil Sedaka & Phil Cody

Intro　　｜ A 　｜ A 　｜ A 　｜ A 　‖

Verse 1

        A
I was sitting by the phone,

           D
I was waiting all alone,

                                A
Baby, by myself I sit and wait and wonder about you.

It's a dark and dreary night,

                D
Seems like nothing's going right,

                                     A
Won't you tell me honey how can I go on here without you?

    E7
Yes, I'm down and feeling blue

And I don't know what to do, oh.

Chorus 1

    A   **E7**
Ring ring, why don't you give me a call?

                          A
Ring ring, the happiest sound of them all.

                          E7
Ring ring, I stare at the phone on the wall

      Bm
And I sit all alone impatiently,

Won't you please understand the need in me.

  E7   **A**
So, ring ring, why don't you give me a call?

  E7   **A**
So, ring ring, why don't you give me a call?

Verse 2

            A
You were here and now you're gone,

                     D
Hey, did I do something wrong?

                                   A
I just can't believe that I could be so badly mistaken,

Was it me or was it you?

                   D
Tell me, are we really through?

                                          A
Won't you hear me cry and you will know that my heart is breaking.

      E7
Please forgive and then forget,

Or maybe darling better yet, oh.

Chorus 2

A   **E7**
Ring ring, why don't you give me a call?

                       A
Ring ring, the happiest sound of them all.

                       E7
Ring ring, I stare at the phone on the wall

      Bm
And I sit all alone impatiently,

Won't you please understand the need in me.

  E7   **A**
So, ring ring, why don't you give me a call?

  E7   **A**
So, ring ring, why don't you give me a call?

     E7   **A**
‖: Oh, ring ring, why don't you give me a call?

  E7   **A**
So, ring ring, why don't you give me a call? :‖   *Repeat to fade*

The Piper

Words & Music by
Benny Andersson & Björn Ulvaeus

Intro   ‖: Bm | Bm | Bm | Bm :‖

Verse 1

      Bm
They came from the hills

And they came from the valleys and the plains.

They struggled in the cold

In the heat and the snow and in the rain.

   A   **Bm A/C# D A/C#**
Came to hear him play,

Bm   **A**   **Bm A/C# D E**
Play their minds away.

Chorus 1

   A   **D/A** **A**
We're all following a strange melody,

            D E
We're all summoned by a tune,

F#m   **Bm/F# F#m**
We're following the pi - per

      D   **E**   **A E**
And we dance beneath the moon.

‖ **A** | **D/A A** | **A** | **D E** ‖

F#m   **Bm/F# F#m**
We're following the pi - per

      D   **E**   **A E A**
And we dance beneath the moon for him,

      D   **E**   **A E A**
And we dance beneath the moon._

cont.

| A E/G♯| C♯m F♯m | F♯m E | C♯m G♯ C♯m‖

A E/G♯ C♯m F♯m E C♯m G♯ C♯m
Sub   lu - na sal - ta - mus.

‖: Bm | Bm | Bm | Bm   :‖

Verse 2

      Bm
They came from the south

From the west and the north and from the east.

They waited for the man

Like a parish is waiting for the priest.
        A   **Bm A/C♯ D A/C♯**
Longed to hear him play,
Bm   **A**   **Bm A/C♯ D E**
Play their minds away.

Chorus 2   As Chorus 1

Verse 3

      Bm
He gave them a dream,

He seduced everybody in the land.

The fire in his eyes

And the fear was a weapon in his hand.
     A   **Bm A/C♯ D A/C♯**
So they let him play,
Bm   **A**   **Bm A/C♯ D E**
Play their minds away.

Chorus 3

     A   D/A   A
We're all following a strange melody,

                                D E
We're all summoned by a tune,

F♯m   Bm/F♯ F♯m
We're following the pi -   per

               D   E   A E
And we dance beneath the moon.

| A | D/A A | A | D E |

F♯m   Bm/F♯ F♯m
We're following the pi -   per

              D   E   A   E A
And we dance beneath the moon for him,

              D   E   A E A
And we dance beneath the moon._

| D E | E A E |

              D   E   A
And we dance beneath the moon.

Slipping Through My Fingers

Words & Music by
Benny Andersson & Björn Ulvaeus

Capo first fret

Verse 1

     A   Am/C
Schoolbag in hand,

         E   C♯m
She leaves home in the early morning,

 A   Am/C   E   G♯m
   Waving goodbye with an absent-minded smile.

 A   Am
I watch her go

         E   C♯m
With a surge of that well known sadness,

 A   Bsus4 B   E
   And I have to sit down for a while.

       A   B/D♯   E G♯
 The feeling that I'm losing her forever

        A   B   E
 And without really entering her world,

 E/G♯ A   B/D♯   E
   I'm glad whenever I_ can share her laughter,

     Bsus4 B   Esus4 E
That funny little girl.

Chorus 1

  E   A⁶   E
  Slipping through my fingers all the time,

    G♯m   F♯m
  I try to capture every minute,

   A   E
  The feeling in it,

        Bsus⁴ B E
  Slipping through my fingers all the time.

    A⁶   E
  Do I really see what's in her mind?

     G♯m   F♯m
  Each time I think I'm close to knowing,

    A   E
  She keeps on growing,

       Bsus⁴ B E
  Slipping through my fingers all the time.

Verse 2

  A   Am
  Sleep in our eyes,

     E   C♯m
  Her and me at the breakfast table,

  A   Am   E   G♯m
   Barely awake, I let precious time go by.

  A   Am
  Then when she's gone,

     E   C♯m
  There's that odd melancholy feeling,

  A   Bsus⁴ B   E
  And a sense of guilt I can't deny.

    A   B/D♯   E   G♯
  What happened to the wonderful adventures,

    A   B   E
  The places I had planned for us to go?

 E/G♯ A   B/D♯   E
   Well some of that we did but most we didn't,

   Bsus⁴ B Esus⁴   E
  And why I just don't know.

Chorus 2

E   A6   E
Slipping through my fingers all the time,

      G♯m   F♯m
I try to capture every minute,

    A   E
The feeling in it,

             Bsus4 B   E
Slipping through my fingers all the time.

      A6   E
Do I really see what's in her mind?

      G♯m   F♯m
Each time I think I'm close to knowing,

    A   E
She keeps on growing,

             Bsus4 B   E
Slipping through my fingers all the time.

Middle

        A   B   E   G♯
Sometimes I wish that I_ could freeze the picture,

     A   B   E
And save it from the funny tricks of time.

E/G♯   A   B E
Slipping through my fingers._

Instrumental | A   E | G♯m F♯m | F♯m A E | Bsus4 B E |

              | A6   E | G♯m F♯m | F♯m A E ‖

(E)   Bsus4 B   E
Slipping through my fingers all the time.

Outro

A   Am/C
Schoolbag in hand,

        E   C♯m
She leaves home in the early morning

A   Am/C   E   G♯m
Waving goodbye with an absent-minded smile.

Should I Laugh Or Cry

Words & Music by
Benny Andersson & Björn Ulvaeus

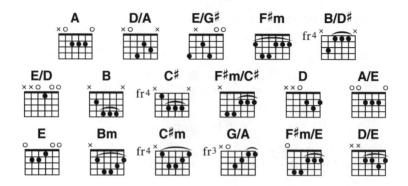

Capo first fret

Intro

‖: A D/A │ A D/A │ A D/A │ A D/A :‖

Verse 1

   A D/A A   D/A A   D/A E/G#   F#m
He   stands   towering over me beside my bed,

             B/D# E/D
Losing his head.

   A   D/A A D/A A   D/A   A B C#
Tells   me   I must take him seriously,

           F#m/C# C#   D
Droning on the   usual way.

          A   E/G# F#m
He's such a clever guy

   A   D/A
Then I wonder,

    A/E   E   A D/A A D/A
Should I laugh or cry?

Verse 2

   A D/A A   D/A A   D/A   E/G#   F#m
He's   dressed   in the striped pyjamas that I bought,

             B/D#   E/D
Trousers too short.

   A   D/A A D/A A   D/A   A B C#
Gives   me   of his small philoso - phy,

           F#m/C# C#   D
Carries on the   way he does.

cont.

    A   E/G# F#m
And me, I get so tired,

A   D/A
And I wonder,

  A/E   E   A D/A A
Should I laugh or cry?

Chorus 1

D   Bm   E   A
High and mighty his banner flies,

D   E   C#m
A fool's pride in his eyes,

D   Bm   F#m/C# C#   F#m G/A A
Standing there on his toes to grow in size.

D   Bm   E   A
All I see is a big balloon,

D   E   C#m
Halfway up to the moon.

D   Bm   F#m/C#   C#   F#m F#m/E
He's wrapped up in the warm and safe cocoon

B/D#   A/E
Of an eternal lie,

D/E   A D/A
So should I laugh or cry?

Link

| A D/A | A D/A | A D/A ‖

Verse 3

A   D/A A   D/A A   D/A E/G#   F#m
Strange   how   dangerously indifferent I have grown,

        B/D#   E/D
Cold as a stone,

A D/A A   D/A A   D/A   A B C#
No   more   pain where there was pain before.

    F#m/C# C#   D
Far away he rambles on,

  A   E/G#   F#m
I feel my throat go dry

A   D/A
And I wonder,

  A/E   E   A D/A
Should I laugh or cry?

Chorus 2   As Chorus 1

Outro   ‖: A D/A | A D/A :‖ *Repeat to fade*

So Long

Words & Music by
Benny Andersson & Björn Ulvaeus

Intro

| D | C | D | C |

| D | C | G | G |

| G | G |

Verse 1

    D   **C**   **G**
You think you're gonna make me softer with your fancy car, ahaha,

    D   **C**   **G**
But I can tell you all of your tricks ain't gonna get you far, ahaha.

       Gm   **F6**
They say that money's got a magic touch,

      E♭
But not to me, it doesn't mean that much.

      Am   **Am/G**
You won't have me tonight,

      D
All right, all right, all right, all right.

Chorus 1

     G   C
So long, see you honey,

     G   C
Can't buy me with your money.

     G
Tracy, Daisy, they may be crazy,

           D
But I'll never be your girl.

       G   C
So long, see you honey,

     G   C
Can't buy me with your money.

       G   D
You know it's not worth trying,

     C   D   G
So long, so long, so long.

Verse 2

            D   C   G
You didn't have to send me flowers like you did today, ahaha.

     D   C   G
I wouldn't keep a thing from you, I gave them all away, ahaha.

        Gm   F6
The girls might fall for everything you've got,

        E♭
But I'm not one of them, you know I'm not.

       Am   Am/G
You won't have me tonight,

        D
All right, all right, all right, all right.

Chorus 2   As Chorus 1

Link | B♭ Cm7 | C♯dim B♭/D | C   Dm7 |

                | D♯dim C/E | D   Em7 | Fdim D/F♯ ‖

Chorus 3

     G   C   G   C
So long, see you honey, can't buy me with your money.

       G   D   C   D   G
You know it's not worth trying, so long, so long, so long.

     C   D   G   C   D   G
So long, so long, so long. So long, so long, so long.

Outro   ‖: G | G   :‖ *Repeat to fade*

S.O.S.

Words & Music by
Benny Andersson, Björn Ulvaeus & Stig Anderson

Intro ‖: Dm | Dm | Dm | Dm :‖

Verse 1

Dm   C#dim
   Where are those happy days?

               Dm
They seem so hard to find.

          C#dim
I try to reach for you,

              Dm
But you have closed your mind.

F   C
  Whatever happened to our love?

Gm   Dm
  I wish I understood,

          C#dim
It used to be so nice,

        Dm A/C# Dm C/E | F Gm F C/E ‖
It used to be so good.

Chorus 1

F   C
  So when you're near me,

Gm   B♭
Darling can't you hear me,

 F   B♭maj7/F   F | F B♭maj7/F   F |
S. _ O. S.

           C
The love you gave me,

Gm   B♭
Nothing else can save me,

 F   B♭maj7/F   F
S. _ O. S.

           B♭
When you're gone,
        D♭   **E**♭   **F**
How can I __ even try to go on?
        B♭
When you're gone,
       D♭   **E**♭   **F**
Though I try, how can I __ carry on?

     Dm   **C♯dim**
Verse 2   You seem so far away,
                       Dm
Though you are standing near.
             C♯dim
You made me feel alive,
               Dm
But something died I fear.
F   **C**
   I really tried to make it out,
Gm   **Dm**
   I wish I understood.
              C♯dim
What happened to our love,
          Dm A/C♯ Dm C/E | **F Gm F C/E** ‖
It used to be so good?

Chorus 2   As Chorus 1

Link | **Dm/A** | **A**⁷ | **Dm/A** | **Dm/A** | **A**⁷ | **Dm A/C♯ F C/E** ‖

Chorus 3   As Chorus 1

     F   **B**♭
Outro   When you're gone,
         D♭   **E**♭   **F**
How can I __ even try to go on?
         B♭
When you're gone,
       D♭   **E**♭   **F**
Though I try, how can I __ carry on?

   | **Dm** | **Dm** | **Dm**   ‖

Soldiers

Words & Music by
Benny Andersson & Björn Ulvaeus

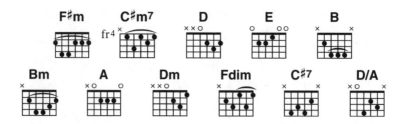

Intro **Drums for 4 bars** ‖

‖: F♯m | C♯m7 | F♯m | C♯m7 :‖

Verse 1

F♯m   C♯m7
Do I hear what I think I'm hearing?

F♯m   C♯m7
Do I see the signs I think I see,

D   E F♯m
Or is this just a fantasy?

              C♯m7
Is it true that the beast is waking,

F♯m   C♯m7
Stirring in his restless sleep tonight?

             B   Bm
In the pale moonlight,

F♯m   C♯m7
In the grip of this cold December,

F♯m   E
You and I have reason to remember.

Chorus 1

A
Soldiers write the songs that,

F#m
Soldiers sing the songs that

D   Dm   A
You and I don't sing.

                         D
They blow their horns and march along,

A   F#m
  They drum their drums and look so strong,

A   D   E
  You'd think that nothing in the world was wrong.

A
Soldiers write the songs that,

F#m
Soldiers sing the songs that

D   Dm   A
You and I won't sing.

F#m   Fdim
Let's not look the other way,

C#7   F#m
Taking a chance,

          A   D
'Cause if the bugler starts to play

E   A
We too must dance.

Link

| F#m | C#m7 | F#m | C#m7 ‖

Verse 2

F#m   C#m7
What's that sound, what's that dreadful rumble?

F#m   C#m7
Won't somebody tell me what I hear?

D   E F#m
In the distance but drawing near,___

         C#m7
Is it only a storm approaching?

F#m   C#m7
All that thunder and the blinding light

              B   Bm
In the winter night.

F#m   C#m7
In the grip of this cold December

F#m   E
You and I have reason to remember.

Chorus 2

A
Soldiers write the songs that,

F♯m
Soldiers sing the songs that

D   Dm A
You and I don't sing.

                             D
They blow their horns and march along,

A   F♯m
   They drum their drums and look so strong,

A   D   E
   You'd think that nothing in the world was wrong.

A
Soldiers write the songs that,

F♯m
Soldiers sing the songs that

D   Dm A
You and I won't sing.

F♯m   Fdim
Let's not look the other way,

C♯7   F♯m
Taking a chance,

      A   D
'Cause if the bugler starts to play

E   A D/A
We too must dance.

Instrumental | A | F♯m | A | D/A | E | E   ‖

Chorus 3

A
Soldiers write the songs that,

F♯m
Soldiers sing the songs that

D   Dm A
You and I won't sing.

F♯m   Fdim
Let's not look the other way,

C♯7   F♯m
Taking a chance,

      A   D
'Cause if the bugler starts to play

E
We too must

Outro   ‖: A | F♯m | D Dm :‖ *Repeat to fade*
          dance.

Summer Night City

Words & Music by
Benny Andersson & Björn Ulvaeus

Intro ‖: Dm | Dm | Dm | Dm :‖
Summer night city.

Dm
Chorus 1 Waiting for the sunrise,

Soul dancing in the dark,

Summer night city.

Walking in the moonlight,

Love-making in a park,

Summer night city.

Dm   Bb
Verse 1 In the sun I feel like sleeping,

C   Dm
I can't take it for too long.

Dm   Bb
My impatience slowly creeping

C   Dm
Up my spine and growing strong.

D   D/C   Bb6   Gm   D D/C | Bb6 D/A |
  I know what's waiting there for me,

D   D/C   Bb6   Gm   D D/C | Bb6 D/A |
  Tonight I'm loose and fancy free.   Ah.____

Prechorus 1

    Gm   E♭
When the night comes with the action

F   Gm
I just know it's time to go.

                      E♭
Can't resist the strange attraction

F   Gm
From that giant dynamo.

E♭   Cm7
Lots to take and lots to give,

F   Gm
Time to breath and time to live.

Chorus 2   As Chorus 1

Verse 2

Dm   B♭
It's elusive, call it glitter

C   Dm
Somehow something turns me on.

Dm   B♭
Some folks only see the litter,

C   Dm
We don't miss them when they're gone.

D   D/C   B♭6   Gm   D D/C | B♭6 D/A |
   I love the feeling in the air,

D   D/C   B♭6   Gm   D D/C | B♭6 D/A |
   My kind of people everywhere.

Prechorus 2

Gm   E♭
When the night comes with the action

F   Gm
I just know it's time to go.

                      E♭
Can't resist the strange attraction

F   Gm
From that giant dynamo.

SUMMER NIGHT CITY

Prechorus 3

Gm   E♭
And tomorrow when it's dawning,

F   Gm
And the first birds start to sing.

       E♭
In the pale light of the morning,

F   Gm
Nothing's worth remembering.

E♭   Cm7
It's a dream, it's out of reach,

F   Gm
Scattered driftwood on a beach.

Chorus 3

  Dm
‖: Waiting for the sunrise,

Soul dancing in the dark,

Summer night city.

Walking in the moonlight,

Love-making in a park,

Summer night city. :‖ *Repeat to fade*

Super Trouper

Words & Music by
Benny Andersson & Björn Ulvaeus

Intro

C   Csus4 C
Super Trouper beams are gonna blind me

Csus4 C   G
But I won't feel blue

Dm   G
Like I always do,

                                C   Csus2
'Cause somewhere in the crowd there's you.

| C Csus2 | Am Asus2 | Am Asus2 |

| Dm Dsus2 | Dm Dsus2 | G Gsus2 | G Gsus2 ||

Verse 1

C   Em
I was sick and tired of everything

           Dm   G6 G
When I called you last night from Glasgow.

C   Em
All I do is eat and sleep and sing,

           Dm   G6 G
Wishing ev'ry show was the last show.

F   C/E
   So imagine I was glad to hear you're coming,

F   C/E
   Suddenly I feel alright

F   C
   And it's gonna be so different

                     Gsus4 G
When I'm on the stage to - night.

	C Csus4 C
Chorus 1	Tonight the Super Trouper lights are gonna find me,

C   Csus4   C

Chorus 1

Tonight the Super Trouper lights are gonna find me,

Csus4   C   G

Shining like the sun,

Dm   G

Smiling, having fun,

                                C

Feeling like a number one.

                Csus4   C

Tonight the Super Trouper beams are gonna blind me,

Csus4   C   G

But   I   won't feel blue

Dm   G

Like I always do,

                                        C   Csus2

'Cause somewhere in the crowd there's you.

Link | **C   Csus2** | **Am   Asus2** | **Am   Asus2** |

           | **Dm   Dsus2** | **Dm   Dsus2** | **G   Gsus2** | **G   Gsus2** ||

C   Em

Verse 2

Facing twenty thousand of your friends,

          Dm   G6 G

How can anyone be so lonely?

C   Em

Part of a success that never ends,

          Dm   G6 G

Still I'm thinking about you on - ly.

F   C/E

   There are moments when I think I'm going crazy,

F   C/E

   But it's gonna be alright,

F   C

   Ev'rything will be so different

                Gsus4   G

When I'm on the stage to - night.

Chorus 2   As Chorus 1

Bridge

        F   Am
So I'll be there when you arrive,

           Dm   G   C
The sight of you will prove to me I'm still alive,

                        G   F
And when you take me in your arms

          Dm   A7/E
And hold me tight,

  Dm   G
I know it's gonna mean so much tonight.

Chorus 3

                   C   Csus4 C
‖: Tonight the Super Trouper lights are gonna find me,

Csus4 C   G
Shining like the sun,

Dm   G
Smiling, having fun,

                  C
Feeling like a number one.

              Csus4 C
Tonight the Super Trouper beams are gonna blind me,

Csus4 C   G
But I won't feel blue

Dm   G
Like I always do,

                        C   Csus2
'Cause somewhere in the crowd there's you.   :‖ *Repeat to fade*

Take A Chance On Me

Words & Music by
Benny Andersson & Björn Ulvaeus

Capo fourth fret

Chorus 1

             G
If you change your mind, I'm the first in line,

Honey, I'm still free,
         D
Take a chance on me.

If you need me, let me know, gonna be around,
                 G
If you got no place to go when you're feeling down.

If you're all alone when the pretty birds have flown,

Honey, I'm still free,
         D
Take a chance on me,

Gonna do my very best and it ain't no lie,
            G
If you put me to the test, if you let me try.
    Am   **D**
Take a chance on me,
    Am   **D**
Take a chance on me.

Verse 1

Am
We can go dancing, we can go walking,
  G
As long as we're together.
Am
Listen to some music, maybe just talking,
  G
You'd get to know me better.

'Cause you know I got

                  Em
                    So much that I wanna do,

                  C
                    When I dream I'm alone with you,

                      Em   **C**   **D**
                  It's ma - gic.

                  Em
                    You want me to leave it there,

                  C
                    Afraid of a love affair,

                    Am   **D**
                  But I think you know

                    Am   **D**
                  That I can't let go.

Chorus 2   As Chorus 1

                        Am
Verse 2   Oh you can take your time baby, I'm in no hurry,

                   G
                  I know I'm gonna get you.

                  Am
                  You don't wanna hurt me, baby don't worry,

                  G
                  I ain't gonna let you.

                  Let me tell you now,

                  Em
                    My love is strong enough,

                  C
                    To last when things are rough,

                    Em   **C**   **D**
                  It's ma - gic.

                  Em
                    You say that I waste my time,

                  C
                    But I can't get you off my mind,

                    Am   **D**
                  No I can't let go,

                    Am   **D**
                  'Cause I love you so.

Chorus 3

                G
If you change your mind, I'm the first in line,

Honey, I'm still free,

           D
Take a chance on me.

If you need me, let me know, gonna be around,

                  G
If you got no place to go when you're feeling down.

If you're all alone when the pretty birds have flown,

Honey, I'm still free,

           D
Take a chance on me,

Gonna do my very best,

Baby can't you see?

Gotta put me to the test,

      G
Take a chance on me.

Outro

     G
‖: Ba ba ba ba baa, ba ba ba ba baa,

Honey I'm still free,

           D
Take a chance on me.

Gonna do my very best,

Baby can't you see?

Gotta put me to the test,

      G
Take a chance on me. :‖ *Repeat to fade*

Thank You For The Music

Words & Music by
Benny Andersson & Björn Ulvaeus

Capo second fret

Intro　　　　| D　Fdim | Em⁷　A7 ‖

Verse 1

　　　　D　　　　　　　Fdim
　　I'm nothing special,

Em⁷　　　　　　A7　　　D
In fact　I'm a bit of a bore,

Am⁷　D　G
　　　If I tell a joke,

　　　　B7　　　　　　　　　　　Em Em⁷ A7　A7aug
You've probably heard it before.

　　　D
But I have a talent,

　　A/C♯
A wonderful thing,

　　　　D　　　　　Daug/F♯
'Cause everyone listens

　　　　G　　　　Gm
When I start to sing.

　　　　Bm　　　　　　　G/B
I'm so grateful and proud,

　　　　Em⁷　Em/D　A
All I want is to sing it out loud.

Chorus 1

A   **Bm7** **A7/C♯**
So I   say

D   **Em**   **A7sus4 A7** **D**
Thank you for the music, the songs   I'm singing,

Bm   **Bm7/A E7/G♯**   **A7sus4 A7**
  Thanks for all the joy they're bring - ing.

D   **Em**   **F♯**   **Bm7**   **Gmaj7**
Who can live without it? I ask in all honesty.

                  Gm(maj7)
What would life be?

            D   **D7/C**   **B7**
Without a song or dance what are we?

    C♯dim **B7/D♯ Em**   **G**
So I   say   thank you for the music,

   A7sus4 A7   **D Fdim Em7** **A7**
For giv - ing it to me.

Verse 2

D   **Fdim**   **Em7**   **A7**   **D**
Mother says I __ was a dancer before I could walk.

Am7 **D**   **G**   **B7**
        She says I began to sing

               Em **Em7** **A7** **A7aug**
Long before I could talk.

     D   **A/C♯**   **Aaug**
And I've often wondered, how did it all start?

     D   **Daug/F♯** **G**   **Gm**
Who found out that nothing can capture a heart

    Bm   **G/B**
Like a melody can?

      Em7   **Em/D**   **A**
Well, whoever it was, I'm a fan.

Chorus 2

A   **Bm7** **A7/C♯**
So I   say

D   **Em**   **A7sus4 A7** **D**
Thank you for the music, the songs   I'm singing,

Bm   **Bm7/A E7/G♯**   **A7sus4 A7**
  Thanks for all the joy they're bring - ing.

D   **Em**   **F♯**   **Bm7**   **Gmaj7**
Who can live without it? I ask in all honesty.

                  Gm(maj7)
What would life be?

            D   **D7/C**   **B7**
Without a song or dance what are we?

    C♯dim **B7/D♯ Em**   **G**
So I   say   thank you for the music,

   A7sus4 A7   **D Gm6 D**
For giv - ing it to me.

Middle

Gm6   D   Gm6   D
I've been so lucky, I am the girl with golden hair,

    Gm6 F#7 Bm Bm7/A
I wanna sing it out to everybody,

Em7   Em/D   A   Bm7 A7/C#
What a joy, what a life, what a chance! _____

Chorus 3

D   Em   A7sus4 A7 D
Thank you for the music, the songs I'm singing,

Bm   Bm7/A E7/G#   A7sus4 A7
 Thanks for all the joy they're bring - ing.

D   Em   F# Bm7   Gmaj7
Who can live without it? I ask in all honesty.

         Gm(maj7)
What would life be?

      D   D7/C   B7
Without a song or dance what are we?

  C#dim B7/D# Em   G
So I   say thank you for the music,

  A7sus4 A7   D D7/C B7
For giving   it to me.

  C#dim B7/D# Em   G
So I   say thank you for the music,

  A7sus4 A7   D Emadd9 D/F# Gm6 D
For giv - ing it to me. _____

Tiger

Words & Music by
Benny Andersson & Björn Ulvaeus

D · Dm6 · A · E · A/C♯ · F♯m · F♯m/E · F♯m/D♯

Tune guitar down one semitone

Intro
| D | Dm6 | A | A | |
| D | Dm6 | A | A | D ‖

Verse 1

    (D)   E
The city is a jungle,

You better take care,

D E   **D A/C♯**
Never walk alone after midnight.

E
If you don't believe it,

You better beware of me.

Chorus 1

A   **D**
I am behind you,

    Dm6
I always find you,

       A
I am the tiger.

          D
People who fear me

    Dm6
Never go near me,

       A
I am the tiger.

161

Verse 2

D   E
   The city is a nightmare,

A horrible dream,

D E   D A/C♯
   Some of us will dream it forever.

E
Look around the corner

And try not to scream, it's me.

Chorus 2   As Chorus 1

Middle 1

F♯m F♯m/E F♯m/D♯
Yel - low   eyes

                          F♯m F♯m/E F♯m/D♯
Are glowing like the neon lights._____

F♯m F♯m/E F♯m/D♯
Yel - low   eyes,

                          F♯m   F♯m/E F♯m/D♯
The spotlights of the city nights.

Chorus 3   As Chorus 1

Verse 3

D   E
   The city is a prison,

You never escape,

D E   D A/C♯
   You're forever trapped in the alleys.

E
Look into the shadows,

And you'll see the shape of me.

Chorus 4   As Chorus 1

Middle 2   As Middle 1

	A D

Chorus 5

     A   **D**
I am behind you,

       Dm6
I always find you,

          A
I am the tiger.

           D
People who fear me

       Dm6
Never go near me,

          A
I am the tiger.

           D

Chorus 6   And if I meet you,

       Dm6
What if I eat you?

          A
I am the tiger.

          D
I am behind you,

       Dm6
I'll always find you,

          A
I am the tiger, tiger, tiger.

Tropical Loveland

Words & Music by
Benny Andersson, Björn Ulvaeus & Stig Anderson

Capo first fret

Intro ‖: A | D | A | D :‖

Verse 1

    A   D
    Come to my loveland,

    A   D A   D   G   D   A
    Wander along beautiful gardens full of flowers and songs.

               D   A   D
  Come to the sunshine, beaches and the sand,

    A   D   G   D   A
    Listen to the bluebirds, won't you come to my land?

  Bm   G/B
    The grass is mellow and the sky is blue,

  Bm   E
    My paradise is waiting here for you.

Chorus 1

    A E   D
    Ooh, it's a tropical loveland,

    A E   D
    Ooh, I wanna share it with you.

    A   E
    Life can be funny,

    G   D
    Happy and sunny

    A E   D
    Ooh, in my tropical loveland.

| A | D | A | D |

Verse 2

A   **D**
Come to my loveland,

A   **D**
Wander with me,

A   **D**   **G**   **D** **A**
Lie with me darling in the shade of a tree.

      D   **A**   **D**
Over the rainbow, under the moon,

A   **D**   **G**   **D**   **A**
That's where my land is, won't you come to me soon?

Bm   **G/B**
Just take my hand, I'll show you everything,

Bm   **E**
The secrets that my paradise can bring.

Chorus 2

A **E**   **D**
Ooh, it's a tropical loveland,

A   **E**   **D**
Ooh, I wanna share it with you.

A   **E**
Life can be funny,

G   **D**
Happy and sunny

A **E**   **D**
Ooh, in my tropical loveland.

Outro

‖: **A** **E**   **D**
   Ooh, it's a tropical loveland,

A   **E**   **D**
Ooh, I wanna share it with you. :‖ *Repeat to fade*

Under Attack

Words & Music by
Benny Andersson & Björn Ulvaeus

Intro

‖: B7sus4 | B7sus4 | B7sus4 | B7sus4 :‖

Verse 1

B7sus4
  Don't know how to take it,
               B7
Don't know where to go.
  B7sus4   B7
My resistance running low,
              E   A/E
And every day the hold is getting tighter,
      B/E   E
And it troubles me so.

                   B7sus4
You know that I'm nobody's fool
                         B7
I'm nobody's fool and yet it's clear to me,
  B7sus4   B7
I don't have a strategy.
              E   A/E
It's just like taking candy from a baby.
         B/E E
And I think I must be....

Chorus 1

    (E)   A/E   B
Under attack, I'm being taken,

E   G♯
About to crack, defences breaking.

A   A6   A   E
 Won't somebody please have a heart,

            A   A6
Come and rescue me now

        A   D   B
'Cause I'm falling apart?

E   A/E   B
Under attack, I'm taking cover,

E   G♯
He's on my track, my chasing lover.

A   A6   A E
Thinking nothing can stop him now,

        A   A6   A E
Should I want to, I'm not sure I   would know how.

Verse 2

B7sus4
This is getting crazy,

           B7
I should tell him so,

    B7sus4   B7
Really let my anger show.

                   E   A/E   B/E   E
Persuade him that the answer to his questions is a definite no.

                  B7sus4
I'm kind of flattered I suppose

                                  B7
Guess I'm kind of flattered but I'm scared as well,

    B7sus4   B7
Something like a magic spell.

               E   A/E
I hardly dare to think of what would happen,

            B/E   E
Where I'd be if I fell....

Chorus 2   As Chorus 1

Instrumental ‖: B7sus4 | B7sus4 | B7sus4 | B7sus4 :‖

             | G♯ | A | E | A | E | E   ‖

The Visitors

Words & Music by
Benny Andersson & Björn Ulvaeus

A	Dsus4	D	Am	Em	G	Asus4

Verse 1

    A   Dsus4 D
I hear the door-bell ring

        Dsus4 D   A
And sudden-ly the panic takes me.

            Dsus4 D   Dsus4 D   A
The sound so omin - ously tearing through the silence.

          Am   Em
I cannot move, I'm standing numb and frozen

                         D
Among the things I love so dearly,

A   G   D
The books, the paintings and the furniture,

A
Help me!

Verse 2

    A   Dsus4   D   Dsus4
The signal's sounding once again

        D   A
And someone tries the door-knob.

           Dsus4   D   Dsus4 D   A
None of my friends would be so stupid - ly impatient

                  Am   Em
And they don't dare to come here anymore now.

                        D
But how I loved our secret meetings,

A   G   D
We talked and talked in quiet voices,

A
Smiling.

Chorus 1

    A   G
Now I hear them moving,

     D   A
Muffled noises coming through the door,

  G   D   A
I feel I'm crackin' up.

           G   D A
Voices growing louder, irritation building

             G   D   A
And I'm close to fainting, crackin' up.

             G   D
They must know by now I'm in here

   A   G   D   A
Trembling in a terror evergrowing, crackin' up.

             G   D   A
My whole world is falling, going crazy,

             G
There is no escaping now,

    D   A
I'm crackin' up.

Instrumental ‖: (A) | Em | Em | A |

              | A | Em | Em | D :‖

              | D | A | Asus4 | A | Asus4 ‖

Verse 3

A   Dsus4
  These walls have witnessed

D   Dsus4 D   A
All the anguish of humiliation,

          Dsus4 D   Dsus4 D   A
And seen the hope of freedom glow in shining faces.

             Am
And now they've come to take me,

Em
Come to break me

           D
And yet it isn't unexpected,

A   G   D
  I have been waiting for these visitors,

A
Help me!

Chorus 2   ‖: As Chorus 1 :‖   *Repeat to fade*

Two For The Price Of One

Words & Music by
Benny Andersson & Björn Ulvaeus

Intro | Dsus² D | Dsus² D | Bm¹¹ Bm⁷ |

| Bm¹¹ Bm⁷ | Em⁹ Em⁷ | Em⁹ Em⁷ ‖

Verse 1

D
He had what you might call a trivial occupation,
Bm
He cleaned the platforms of the local railway station,
Em
With no romance in his life,

Sometimes he wished he had a wife.
D
He read the matrimonial advertising pages,
         Em **D/F♯** **G**
The cries for help from different people, different ages,
   D/F♯
But they had nothing to say,
     Em
At least not until the day
      B/D♯
When something special he read,
Em   **A**
This is what it said:

```
       D    A             Em    Bm
       If you dream of the girl for you
              Em    Bm
       Then call us and get
       A          G    D/F♯* D
       Two for the price of    one.
                  A        Em    Bm
       We're the answer if you feel blue,
           Em    Bm
       So call us and get
       A          G    D/F♯* D
       Two for the price of    one.
       D    A             Em    Bm
       If you dream of the girl for you
              Em    Bm
       Then call us and get
       A          G    D/F♯* D
       Two for the price of    one.
                  A        Em    Bm
       We're the answer if you feel blue,
           Em    Bm
       So call us and get
       A             G  D/F♯* Dsus2 D Dsus2 D
       Two for the price of   one.
```

Link   ‖ Bm¹¹ Bm⁷ │ Bm¹¹ Bm⁷ │ Em⁹ Em⁷ │ Em⁹ Em⁷ ‖

Verse 2
```
       D
        He called the number and a voice said, "Alice Whiting."
       Bm
        The voice was husky and it sounded quite exciting.
       Em
        He was amazed at his luck,

       The purest streak of gold he'd struck.
       D
        He said, "I read your ad, it sounded rather thrilling,
                        Em    D/F♯ G
       I think a meeting could be mutually fulfilling.
                   D/F♯
       Why don't we meet for a chat,
                 Em
       The three of us in my flat?"
                 B/D♯
       I can't forget what I read,
       Em          A
       This is what it said:
```

Chorus 2

```
         D    A              Em    Bm
If you dream of the girl for you

         Em    Bm
Then call us and get

A              G     D/F♯*  D
Two for the price of     one.

              A           Em    Bm
We're the answer if you feel blue,

     Em    Bm
So call us and get

A              G     D/F♯*  D
Two for the price of     one.

D    A              Em    Bm
If you dream of the girl for you

         Em    Bm
Then call us and get

A              G     D/F♯*  D
Two for the price of     one.

              A           Em    Bm
We're the answer if you feel blue,

     Em    Bm
So call us and get

A                    D
Two for the price of one.
```

She said, "I'm sure we must be perfect for each other,

D/C
   And if you doubt it,

                    D Em D/F♯
You'll be certain when you meet my mother."

Outro   ‖: **G** | **G** | **D** | **D Em D/F♯*** :‖ *Repeat to fade*

Voulez-Vous

Words & Music by
Benny Andersson & Björn Ulvaeus

Intro

‖: B | B | B | B :‖

| Em⁷ | C/E | Em⁷ | C/E ‖

Verse 1

Em⁷
People ev'rywhere,

C/E   Em⁷   C/E Em⁷
  A sense of expectation hanging in the air,

Givin' out a spark,

C/E   Em⁷
  Across the room your eyes are glowing in the dark.

C/E Em⁷   B
       And here we go again,

We know the start, we know the end,

Em⁷   B
Masters of the scene.

We've done it all before and now we're back to get some more,

Em⁷
You know what I mean.

Chorus 1

     C Am
Voulez-vous? (Ah-ha)

Take it now or leave it, (ah-ha)

Now is all we get, (ah-ha)

               Em⁷
Nothing promised, no regrets.

   C Am
Voulez-vous? (Ah-ha)

cont.   Ain't no big decision, (ah-ha)

You know what to do, (ah-ha)

                        Em7
La question c'est voulez-vous?

    C A
Voulez-vous?

Instrumental ‖: **B** | **B** | **B** | **B**   :‖

              | **Em7** | **C/E** | **Em7** | **C/E** ‖

              Em7
Verse 2   I know what you think,

C/E   **Em7**   **C/E Em7**
  "The girl means business so I'll offer her a drink."

Lookin' mighty proud,

C/E   **Em7**
  I see you leave your table, pushin' through the crowd.

C/E Em7   **B**
        I'm really glad you came,

You know the rules, you know the game,

Em7   **B**
Master of the scene.

We've done it all before and now we're back to get some more.

Em7
You know what I mean.

            C   Am
Chorus 2   Voulez-vous? (Ah-ha)

Take it now or leave it, (ah-ha)

Now is all we get, (ah-ha)

                      Em7
Nothing promised, no regrets.

     C Am
Voulez-vous? (Ah-ha)

Ain't no big decision, (ah-ha)

You know what to do, (ah-ha)

                        Em7
La question c'est voulez-vous?

174

Verse 3

                   B
And here we go again,

We know the start, we know the end,
Em⁷   **B**
Masters of the scene.

We've done it all before and now we're back to get some more,
Em⁷
You know what I mean.

Chorus 3

            C **Am**
Voulez-vous? (Ah-ha)

Take it now or leave it, (ah-ha)

Now is all we get, (ah-ha)
                           Em⁷
Nothing promised, no regrets.
       C **Am**
Voulez-vous? (Ah-ha)

Ain't no big decision, (ah-ha)

You know what to do, (ah-ha)
                          Em⁷
La question c'est voulez-vous?
       C **A**
Voulez-vous?

Instrumental ‖: **B** | **B** | **B** | **B**   :‖ **Em⁷** |

Outro

            C **Am**   **Em⁷**
Voulez-vous? (Ah-ha, ah-ha, ah-ha)
            C **Am**   **Em⁷**
Voulez-vous? (Ah-ha, ah-ha, ah-ha)
     ‖:   **C** **Am**
    Voulez-vous? Take it now or leave it, (ah-ha)

Now is all we get, (ah-ha)
                           Em⁷
Nothing promised, no regrets. :‖ *Repeat to fade*

Waterloo

Words & Music by
Benny Andersson, Björn Ulvaeus & Stig Anderson

D   E/D   A/C#   G/B   A   Bm

Bm/A   E7/G#   A/G   A/F#   A/E   G   D/C#

Intro | D | D | D | D ||

Verse 1
D   E/D   A/C# G/B   A
My, my, at Waterloo Napoleon did surrender,
D   E/D   A/C# G/B   A   Bm
Oh yeah, and I __ have met my dest-i-ny in quite a similar way.

The history book on the shelf
Bm/A   E7/G#   A A/G A/F# A/E
Is   al - ways repeating itself. _____

Chorus 1
D   G
Waterloo, I was defeated, you won the war.
A   D   A
Waterloo, promise to love you for evermore.
D   G
Waterloo, couldn't escape if I wanted to.
A   D
Waterloo, knowing my fate is to be with you.
A   D
Wa, Wa, Wa, Wa, Waterloo, finally facing my Waterloo.

| D | D | D ||

Verse 2
D   E/D   A/C#   G/B   A
My, my, I tried to hold you back but you were stronger,
D   E/D   A/C# G/B   A   Bm
Oh yeah, and now it seems my only   chance is givin' up the fight.

And how could I ever refuse?
Bm/A   E7/G#   A A/G A/F# A/E
I   feel like I win when I lose. _____

Chorus 2

```
      D                          G
Waterloo, I was defeated, you won the war.
       A                          D        A
Waterloo, promise to love you for evermore.
       D                       G
Waterloo, couldn't escape if I wanted to.
       A                          D
Waterloo, knowing my fate is to be with you.
                   A                        D
Wa, Wa, Wa, Wa, Waterloo, finally facing my Waterloo.
```

Link

```
      D/C♯  Bm
So   how could I ever refuse?
       E7/G♯                A
I feel like I win when I lose.
```

Outro

```
      D                          G
Waterloo, couldn't escape if I wanted to.
       A                          D
Waterloo, knowing my fate is to be with you.
```

```
                   A                        D
‖: Wa, Wa, Wa, Wa, Waterloo, finally facing my Waterloo.
                   A
Wa, Wa, Wa, Wa, Waterloo,
                       D
Knowing my fate is to be with you.  :‖  Repeat to fade
```

The Way Old Friends Do

Words & Music by
Benny Andersson & Björn Ulvaeus

Intro | D | G | D A | D   ‖

Verse 1

    D   **G**   **A**   **D**
You and I can share the silence,

         D/F♯   **G**
Finding comfort together

     D/A   **A**
The way old friends do.

        D **G**   **A**   **D**
And after fights and words of violence

          D/F♯   **G**
We'll make up with each other

    D/A   **A**   **D**
The way old friends do.

D/F♯   **G**   **D**
Times of joy and times of sorrow

D/F♯   **G**   **D/A** **A**
  We will always see it through.

Chorus 1

       D **D/F♯** **G**   **A**   **D**
Oh, I   don't care what comes tomorrow,

       D/F♯   **G**
We can face it together

    D/A   **A**   **D**
The way old friends do.

Verse 2

    D   G   A   D
You and I can share the silence,

          D/F♯   G
Finding comfort together

     D/A   A
The way old friends do.

     D   G   A   D
And after fights and words of violence

          D/F♯   G
We'll make up with each other

     D/A   A   D
The way old friends do.

D/F♯   G   D
Times of joy and times of sorrow

D/F♯   G   D/A A
We will always see it through.

Chorus 2

D D/F♯ G   A   D
I don't care what comes tomorrow,

          D/F♯   G
We can face it together

     D/A   A   D
The way old friends do.

          D/F♯   G
We can face it together

     D/A   A   D
The way old friends do.

What About Livingstone

Words & Music by
Benny Andersson & Björn Ulvaeus

C	F	C/E	Dm	B♭	G7	G	Am

Intro | C | C | C | C ‖

Verse 1

    (C)   F   C/E
Went to buy me a paper at the local newsstand,

    Dm   B♭
And then I heard them laugh and say,

                         F   C/E
"Look, they're gonna go flying way up to the moon now,

           B♭   F
Hey, what's it good for anyway?"

          B♭   G7
So I said, "Fellas, like to ask you a thing if I may."

Chorus 1

          C
What about Livingstone?

          G
What about all those men

          Am   F
Who have sacrificed their lives to lead the way?

                 C
Tell me, wasn't it worth the while

            G
Travelling up the Nile,

          F
Putting themselves on test,

          C
Didn't that help the rest?

          F
Wasn't it worth it then?

          C
What about Livingstone?

Verse 2

    C   F   C/E
And all of those fellas at the local news-stand

                       Dm   B♭
Didn't know what to answer or what to say,

                   F   C/E
So I told them about him, that he was just like

              B♭   F
One of those spacemen in his way.

            B♭
And if you laugh at them

             G7
Then there's only a thing I can say.

Chorus 2

                    C
𝄆 What about Livingstone?

             G
What about all those men

            Am   F
Who have sacrificed their lives to lead the way?

                C
Tell me, wasn't it worth the while

            G
Travelling up the Nile,

           F
Putting themselves on test,

           C
Didn't that help the rest?

       F
Wasn't it worth it then? 𝄇 *Repeat to fade*

When All Is Said And Done

Words & Music by
Benny Andersson & Björn Ulvaeus

Intro

| D G/D | A/D D | G/D* A/D | D |

| D A/C♯ | Bm F♯m/A | G A/C♯ | D |

| D | D | D ‖

Verse 1

D   G
Here's to us, one more toast

  A   D
And then we'll pay the bill.

      G
Deep inside both of us

     A   D
Can feel the autumn chill.

      G/D   A/D   D
Birds of passage, you and me,

   G/D* A/D   D
We fly instinctively.

      A/C♯   Bm
When the summer's o - ver

F♯m/A   G   A/C♯   D
And the dark clouds hide the sun,

     A/C♯   Bm   F♯m/A
Neither you nor I'm to blame

     G   A7   D
When all is said and done.

Verse 2

D   G
In our lives we have walked
     A   D
Some strange and lonely treks.
              G
Slightly worn but dignified
     A   D
And not too old for sex.
        G/D   A/D   D
We're still striving for the sky,
   G/D*   A/D   D
No taste for humble pie.
          A/C♯   Bm   F♯m/A
Thanks for all your generous love
    G   A/C♯ D
And thanks for all the fun.
       A/C♯   Bm   F♯m/A
Neither you nor I'm to blame
      G   A7   D
When all is said and done.

Instrumental | D | G/D | Dsus4 D | D |

| D | G/D | Dsus4 D | A/D* D | D ‖

Verse 3

D   G
It's so strange when you're down
     A   D
And lying on the floor.
           G
How you rise, shake your head,
   A   D
Get up and ask for more.
        G/D   A/D   D
Clear-headed and o - pen-eyed
    G/D*   A/D   D
With nothing left untried.
          A/C♯ Bm   F♯m/A
‖: Standing calmly at the crossroads,
  G   A/C♯ D
No desire to run.
        A/C♯ Bm F♯m/A
There's no hurry anymore
      G   A7   D
When all is said and done. :‖

When I Kissed The Teacher

Words & Music by
Benny Andersson & Björn Ulvaeus

Capo first fret

Intro | D | D | G⁵/D | G⁵/D ||

Verse 1

   (G5/D)   **D**
   Everybody screamed
          G5/D
When I kissed the teacher.

           D
And they must have thought they dreamed
          G5/D
When I kissed the teacher.

         A
All my friends at school,

               F#m
They had never seen the teacher blush.

Bm   **Em**
He looked like a fool

        A   **D**
Nearly petrified 'cause he was taken by surprise.

Verse 2

          G
When I kissed the teacher,

         D
Couldn't quite believe his eyes.

          G
When I kissed the teacher,

        A
My whole class went wild.

cont. As I held my breath

    F♯m
  The world stood still,

   Bm   **Em**
  But then he just smiled.

      A
  I was in the seventh heaven

        D **Dsus⁴ D**
  When I kissed the teacher.___

    (D)   **Bm A Bm**
Middle 1 One of these days,

  G   **A**   **D**
   Gonna tell him I dream of him every night.

  D⁷   **Gmaj⁷**
   One of these days,

    Bm   **Bm/A♯**
  Gonna show him I care,

    Bm/A   **E⁹/G♯** **A Asus⁴ A**
  Gonna teach him a lesson alright.___

       D
Verse 3 I was in a trance,

        G
  When I kissed the teacher.

       D
  Suddenly I took the chance,

        G
  When I kissed the teacher.

      A
  Leaning over me,

        F♯m   **Bm** **Em**
  He was trying to explain the laws of geometry,

      A
  And I couldn't help it,

        D **Dsus⁴ D**
  I just had to kiss the teacher.

Middle 2 As Middle 1

Verse 4

D
What a crazy day,

G
When I kissed the teacher.

D
All my sense had flown away,

G
When I kissed the teacher.

A
My whole class went wild,

As I held my breath,

F#m
The world stood still

Bm   Em
But then he just smiled.

A
I was in the seventh heaven

D
When I kissed the teacher.

G5/D   D
‖: When I kissed the teacher,

G5/D   D
When I kissed the teacher. :‖ *Repeat to fade*

Why Did It Have To Be Me

Words & Music by
Benny Andersson, Björn Ulvaeus & Stig Anderson

Intro　　| G 　| G 　| G 　| G 　‖

Verse 1

G 　　　　　　　　　　　　D
When you were lonely, you needed a man
G 　　　　　　　　　D
Someone to lean on, well, I understand.
C
It's only natural,
　　　D 　　　　　　　　G 　D
But why did it have to be me?

Verse 2

G 　　　　　　　　　　　　D
Nights can be empty, and nights can be cold,
G 　　　　　　　　　　　　D
So you were looking for someone to hold.
C
That's only natural,
　　　D 　　　　　　　　G 　G7
But why did it have to be me?

Chorus 1

C
I was so lonesome, I was blue.

G
I couldn't help it, it had to be you.

     D7   G   G7
And I_ always thought you knew the reason why

C
  I only wanted a little love affair,

A7
  Now I can see you are beginning to care.

    G/B   C
But baby, believe me,

    A/C♯ G/D D7
It's better to forget me.

Instrumental | C | C | G | G |

| D7 | D7 | G | D7 ‖

Verse 3

G   D
Men are the toys in the game that you play,

G   D
When you get tired you throw 'em away.

C
That's only natural

     D   G
But why did it have to be me?

Link | G | A | A ‖

Verse 4

A   E
Falling in love with a woman like you

A   E
Happens so quickly, there's nothing to do.

D
It's only natural

     E   A A7
But why did it have to be me?

Chorus 2

D
I was so lonesome, I was blue.

A
I couldn't help it, it had to be you.

    E7   **A** **A7**
And I_ always thought you knew the reason why

D
  I only wanted a little love affair,

B
  Now I can see you are beginning to care.

    A/C♯   **D**
But baby, believe me,

    B/D♯ A/E E7
It's better to forget me.

Outro

‖: D | D | A | A |

| E7 | E7 | A | A7 :‖

The Winner Takes It All

Words & Music by
Benny Andersson & Björn Ulvaeus

F   A7/C♯   Dm   D7/F♯   Gm   C   C/E   Gm/D

Capo first fret

Intro   ‖: F | F A7/C♯ | Dm | Dm D7/F♯ |
| Gm | Gm | C | C :‖

Verse 1

C   F
I don't wanna talk
                C/E
About the things we've gone through,
                    Gm/D
Though it's hurting me,
                C
Now it's history.
                F
I've played all __ my cards
                        C/E
And that's what you've done too.
                    Gm/D
Nothing more to say,
                C
No more ace to __ play.

Chorus 1

                    F
The winner takes it all,
        A7/C♯   Dm
The loser standing   small
    D7/F♯   Gm
Beside the victory,
                C
That's her destiny.

                              F   C/E
Verse 2   I was in your arms thinking I __ belonged there,
                              Gm/D   C
             I figured it made sense, building me a fence.
                                  F   C/E
             Building me a home, thinking I'd be strong there,
                              Gm/D   C
             But I was a fool, playing by the rules.

                                          F
Link 1   The Gods may throw a dice,
                      A7/C♯   Dm
             Their minds as cold as ice,
                      D7/F♯   Gm
             And someone way down here
                              C
             Loses someone dear.

                                      F
Chorus 2   The winner takes it all,
                      A7/C♯   Dm
             The loser has to fall,
                      D7/F♯   Gm
             It's simple and it's plain,
                                  C
             Why should I complain?

                              F   C/E
Verse 3   But tell me   does she kiss like I used to kiss you?
                              Gm/D   C
             Does it feel the same when she calls your name?
                                  F   C/E
             Somewhere deep inside, you must know I __ miss you,
                              Gm/D   C
             But what can I say? Rules must be obeyed.

                                      F
Link 2   The judges will decide,
                      A7/C♯   Dm
             The likes of me abide,
                      D7/F♯   Gm
             Spectators of the show
                                  C
             Always staying low.

191

Chorus 3

                               F
The game is on again,

  A⁷/C♯   **Dm**
A lover or a   friend,

  D⁷/F♯   **Gm**
A big thing or a small,

                  C
The winner takes it all.

Verse 4

                F
I don't wanna talk

        C/E
If it makes you feel sad.

         Gm/D
And I understand

                C
You've come to shake my hand.

    F
I apologise

        C/E
If it makes you feel bad

         Gm/D
Seeing me so tense,

     C
No self-confidence.

Outro

But you see

                F   **A⁷/C♯** **Dm**
The winner takes it all, _____

  D⁷/F♯   **Gm**   **C**
The winner takes it all. _____

| ‖: F | | F A⁷/C♯ | Dm | Dm D⁷/F♯ |
| Gm | | Gm | C | C :‖ *Repeat to fade* |

2/09(168744)